EL RELOJ DE DIOS

El Reloj de Dios

VICENTE RUSSILDI

Editor: Eliud A. Montoya

PALABRA PURA
palabra-pura.com

El reloj de Dios

ISBN: 978-1-951372-11-8

Diseño del libro: Iuliana Sagaidak Montoya
Editorial: Palabra Pura, www.palabra-pura.com

CATEGORÍA: Religión / Estudios Bíblicos / Profecía

EDITADO EN FREDERICK, OKLAHOMA, EE.UU.
IMPRESO EN ESTADOS UNIDOS DE AMERICA
PRINTED IN THE UNITED STATES OF AMERICA

CONTENIDO

PRÓLOGO

Dios tiene un plan para la humanidad y la Biblia lo describe con precisión. En la actualidad, tenemos muchos medios de comunicación que hablan sobre el futuro de la humanidad y multitud de personas cree lo que estos medios dicen; sin embargo, la Biblia, la Palabra de Dios, del Dios quien nos creó, es el único documento fidedigno, autorizado por Él, del cual realmente podemos tomar la información correcta respecto a estas cosas.

> «Tenemos también la palabra profética más segura, a la cual hacéis bien en estar atentos como a una antorcha que alumbra en lugar oscuro, hasta que el día esclarezca y el lucero de la mañana salga en vuestros corazones» (2 Pedro 1:19).

A lo largo de la historia, tenemos una multitud de teorías respecto al fin del mundo: falsos profetas que han filmado películas, escrito artículos de revista; e inclusive tenemos lo que algunas civilizaciones antiguas dijeron, p.ej. los mayas, quienes también profetizaron sobre el fin de la humanidad. Cada vez más personas están siendo influenciadas por teorías inspiradas por hombres que desconocen el plan de Dios para el género humano, o son incrédulos a éste. Mientras tanto, otras muchas personas se mantienen al margen respecto al tema, pero ninguna de estas posturas es buena.

El libro de Apocalipsis aunado a los profetas mayores y los menores del Antiguo Testamento, describen el plan de Dios para la humanidad. El plan de Dios acaba con la victoria de la Iglesia de Jesucristo, pero antes, la humanidad pasará por un proceso muy difícil. Dios nos dice en su Palabra, en el libro de Apocalipsis:

> «Bienaventurado el que lee, y los que oyen las palabras de esta profecía, y guardan las cosas en ella escritas; porque el tiempo está cerca» (Apocalipsis 1:3).

La mayoría de las iglesias evangélicas no profundiza en el estudio del libro de Apocalipsis. Y no lo hacen porque el fin del mundo no es el mensaje central del evangelio, y están en lo correcto; el mensaje principal es el amor de Dios y su gran tesoro, las almas, por las que Jesucristo vino a morir. La iglesia es llamada a ganar almas para Cristo, pero esto, no nos exime de conocer el plan de nuestro Creador para la humanidad. Desconocer el plan de Dios crea una iglesia tibia. Una iglesia que carece de entendimiento respecto a los tiempos que estamos viviendo. Jesucristo, con mucha firmeza, llamó la atención de los fariseos en cuanto a esto, y les dijo:

> «Vinieron los fariseos y los saduceos para tentarle, y le pidieron que les mostrase señal del cielo. Mas él respondiendo, les dijo: Cuando anochece, decís: Buen tiempo; porque el cielo tiene arreboles. Y por la mañana: Hoy habrá tempestad; porque tiene arreboles el cielo nublado. ¡Hipócritas! que sabéis

distinguir el aspecto del cielo, ¡mas las señales de los tiempos no podéis! La generación mala y adúltera demanda señal; pero señal no le será dada, sino la señal del profeta Jonás. Y dejándolos, se fue» (Mateo 16:1-4).

Este libro permitirá que identifiques los tiempos que hoy vivimos, pues conocerás a detalle el plan de Dios para la humanidad desde su creación hasta el fin del mundo.

Dios tiene el control y su plan marcha sin contratiempos. Este libro hará que conozcas a Dios con mayor exactitud. Dios es un Dios de amor, pero también un Dios de justicia, y el día de la justicia de Dios llegará para la humanidad, tal como fue para la sociedad *pre diluviana* en los días de Noé.

«Porque de tal manera amó Dios al mundo, que ha dado a su Hijo unigénito, para que todo aquel que en él cree, no se pierda, mas tenga vida eterna» (Juan 3:16).

«Por cuanto ha establecido un día en el cual juzgará al mundo con justicia, por aquel varón a quien designó, dando fe a todos con haberle levantado de los muertos» (Hechos 17:31).

La Biblia condena que el ser humano se atreva a poner fechas a los acontecimientos proféticos. Ningún hombre, ya sea predicador, filósofo o profeta está autorizado para establecer fechas que presagien el fin de los tiempos.

«Pero del día y la hora nadie sabe, ni aun los ángeles de los cielos, sino sólo mi Padre» (Mateo 24:36).

Ni el mismísimo Hijo de Dios jamás se atrevió a establecer fechas respecto al final de los tiempos, sino tan sólo se limitó a decir: «Únicamente mi Padre lo sabe». ¿Cómo podría hacerlo algún otro?

Los principales propósitos de este libro son los siguientes:

⇒ conocer a Dios,

⇒ conocer el plan de Dios para la humanidad,

⇒ identificar los tiempos que estamos viviendo con relación al plan de Dios, y

⇒ reconocer a Jesucristo como nuestro único y suficiente Salvador personal.

INTRODUCCIÓN

En promedio, las personas saben poco de Dios, incluso muchas otras, no saben nada. Este libro te ayudará a tener una idea más clara de quién es ese Dios Todopoderoso que nos creó.

Invertir tiempo para conocer a Dios, es un tiempo de calidad; porque resulta en vida eterna con Cristo.

Ten por seguro que el tiempo que dediques a la lectura de este libro, causará en tu vida un gran impacto. El hombre vive en promedio 70 años, esto lo estableció Dios:

> «Los días de nuestra edad son setenta años; Y si en los más robustos son ochenta años, Con todo, su fortaleza es molestia y trabajo, Porque pronto pasan, y volamos» (Salmos 90:10).

Si nuestro promedio de vida es 70 años (70 años × 365 días del año, es igual a 25,550 días), te exhorto a que dediques unos días de tu vida a leer y analizar las palabras escritas en este libro, muy seguramente tu perspectiva de Dios cambiará.

Si alguien te preguntara ¿qué te gustaría recibir como regalo?, lo más seguro tu respuesta sería algo material; pues pienso que tan sólo unos pocos contestarían algo espiritual.

Este libro es el mejor regalo que puedes recibir, también es el mejor regalo para las personas que amas, es el regalo perfecto, ¡es enseñanza sobre la vida eterna con Dios!

Este libro es muy desafiante, porque te hace enfrentarte cara a cara con Dios y eso ¡a la mayoría no nos gusta!

«No penséis que he venido para traer paz a la tierra; no he venido para traer paz, sino espada» (Mateo 10:34).

Las palabras de Jesucristo son duras, y este libro nos enfrentará con la verdad.

Algunas personas insensatas han pensado que Dios perdió el control de las cosas, pero la realidad es que estamos dentro de su plan, Él tiene un plan para la humanidad y este lleva su curso sin contratiempos y con exactitud, esto quedará demostrado en este libro.

Este libro no establece una religión; la religión es una herramienta muchas veces usada por Satanás para engañar a las personas. En la actualidad hay muchos falsos profetas que desarrollan religiones de falsa doctrina y muchas personas son engañadas. Satanás usa personas y éstas, usan pasajes de la Biblia, los modifican y crean religiones y muchos están siendo engañados por falta de conocimiento.

El Evangelio es un gran tesoro que nuestro Señor Jesucristo dejó para la humanidad desde hace casi 2,000 años. No ha cambiado, es el mismo desde entonces, pero los hombres lo han deformado a través del tiempo.

Tenemos que analizar si la religión a la que pertenecemos no ha desviado el Evangelio, ya que hay caminos que el hombre cree que son correctos, pero son caminos de muerte.

«Hay caminos que parecen derechos al hombre, pero su fin es camino de muerte» (Proverbios 16:25).

La Biblia es el único documento fidedigno y autorizado por Dios para que las personas puedan llegar a ser *salvas*. Este libro no predica ninguna religión, la Biblia habla de tener una relación personal con Dios, si no conoces la Biblia, no tienes una relación con Dios saludable y efectiva.

«Escudriñad las escrituras porque a vosotros os parece que en ellas tenéis vida eterna...» (Juan 5:39).

Dios, en su palabra, _no_ dice que solamente leas la Biblia, si no que la leas, la medites, profundices en su estudio y la pongas en práctica. El conocimiento de la Biblia —por sí sólo— no es suficiente para la salvación. ¡La tienes que vivir!

Si te dijeran que sólo te queda un minuto de vida...

¿En qué pensarías? o ¿qué harías? En un 90% de los casos, las personas piensan en Dios... ¿por qué te esperas a recibir una noticia así para pensar en Dios?

Fuimos creados por Dios y para Dios, por esa razón al recibir una noticia así, pensamos en Dios. Ahora bien, Dios dejó principios para vivir en la tierra. ¡Conócelos!

Dos citas inevitables

Tenemos dos citas inevitables sobre las cuales las personas en general piensan poco; estas dos citas están mencionadas en el siguiente versículo bíblico:

"Y de la manera que está establecido para los hombres que mueran una sola vez, y después de esto el juicio» (Hebreos 9:27).

La muerte y el juicio son dos citas inevitables que todas las personas tenemos que enfrentar tarde que temprano. Por tanto, las cosas de Dios se deben tomar con seriedad. Este libro te enfrentará con la verdad, pero también te dará una solución incomparable: la vida eterna en la gloria de Dios.

¿Por qué la Biblia es la Palabra de Dios?

El primer libro escrito de la Biblia fue el libro de Job, 1500 a. C., y el último fue el Apocalipsis en el año 100 d. C. La Biblia es un libro escrito en un periodo de 1,600 años; Dios determinó cuarenta generaciones para escribirla; esta característica no la tiene ningún libro en la historia de la humanidad, y lo más impactante es que, a lo largo de ella y en cada una de sus páginas conserva el mismo mensaje. Veamos algunos ejemplos: Aun cuando dos hermanos viven juntos toda su vida, en la etapa adulta cada uno piensa diferente. Dos médicos que estudiaron la misma carrera, al ver un paciente, dan diagnósticos diferentes. La Biblia, con un periodo de 1,600 años, escrita por autores diferentes, en estados de ánimo diferentes y en lugares diferentes; conserva el mismo mensaje. ¡Esto solamente puede ser posible mediante un poder divino, inspirado por Dios! ¡La Biblia es un milagro!

LA BIBLIA ES:

⇒ El primer libro traducido en la historia.

⇒ El primer libro impreso en la historia, e impreso en la primera imprenta que hubo existido (Gutenberg).

⇒ Es el libro más traducido; se ha traducido en cientos de idiomas y dialectos (698 lenguajes). Este dato es de octubre de 2019, [pero siguen haciéndose nuevas traducciones constantemente].

⇒ En este libro se encuentran verdades absolutas.

⇒ La Biblia se explica por sí sola.

⇒ La Biblia es perfecta hasta en los más mínimos detalles, y aún en los más pequeños detalles se encuentran grandes verdades.

⇒ Ningún libro se puede comparar con la Biblia, ni el Corán, ni los Sutras de Buda (los escritos sagrados para los budistas), ni con los pensamientos de Confucio, ni con ningún otro libro escrito en la historia humana.

La singularidad de la Biblia

LOS HECHOS HISTÓRICOS

Tenemos en la Biblia hechos históricos cuya exactitud y precisión ha sido comprobada por otros documentos antiguos.

Usaremos el templo de Salomón como ejemplo para explicar los siguientes puntos.

El templo de Salomón fue destruido en el año 586 a. C., derribado por los babilónicos y vuelto a construir por los medo-persa en el 333 a. C. Finalmente fue derribado una vez más por los romanos en el año 70 d. C.

Todo esto está comprobado en la historia: el imperio babilónico, el medo-persa y el romano fueron imperios que existieron realmente. Y en la actualidad, hay estudios científicos de las ruinas del templo de Jerusalén que corroboran lo que la Biblia dice respecto a esto. Muchos datos contenidos en la Biblia se han podido comprobar por medio de nuevos descubrimientos científicos.

LA GEOGRAFÍA

La Biblia menciona ciudades y algunas veces, incluso, las distancias entre ellas. Estas distancias han podido comprobarse, y existen hoy diccionarios geográficos en donde se explica en detalle la geografía mencionada en la Biblia.

Si continuamos con el ejemplo del templo de Salomón, la Biblia describe el lugar donde fue construido, esta localización ha sido verificada y resulta ser exacta.

ARQUEOLOGÍA

Se han descubierto ruinas —y constantemente se siguen descubriendo— de construcciones mencionadas en la Biblia. Una vez más, tomando como ejemplo el templo de Salomón, en Jerusalén, éste se encuentra debajo de la mezquita árabe.

Tomamos como ejemplo el templo de Salomón porque se trata de la construcción más importante descrita en la Biblia, ahí Dios dio muchas instrucciones a su pueblo Israel; de éste tenemos profecías escritas que ya se cumplieron y otras están por cumplirse.

Tenemos también en la Palabra de Dios la descripción o mención de muchos otros lugares cuyas ruinas y su respectivo descubrimiento han comprobado la veracidad y exactitud de los datos bíblicos.

Jesucristo dijo: «Si estos callaran las piedras clamarían» (Lucas 19:40), y en nuestros días las piedras están hablando por medio de la arqueología.

Hay investigaciones que comprueban la existencia de las ciudades de Sodoma y Gomorra, destruidas por Dios con fuego y azufre por el alto nivel de pecado que practicaban [https://www.britannica.com/place/Sodom-and-Gomorrah].

LAS PROFECÍAS

La Biblia es un libro sobrenatural. Se habla de que la Biblia contiene aproximadamente 15,000 profecías, de las cuales muchas ya se cumplieron, otras están cumpliéndose actualmente, y otras se cumplirán a su debido tiempo.

SU AUTORIDAD

A través de la historia han existido innumerables personas transformadas mediante la lectura de la Biblia. Los pecadores son reprendidos y el odio se convierte en amor. La Biblia tiene poder para trasformar personas. Actualmente se escucha mucho una frase que dice: «La gente no cambia», pero yo he sido testigo de personas que han sido trasformadas por Dios.

SU INDESTRUCTIBILIDAD

En innumerables ocasiones a través de la historia muchos han intentado destruir la Biblia; sin embargo, ella ha resistido a sus agresores y en la actualidad es el libro más difundido en el mundo.

SU UNIDAD

La Biblia consta de sesenta y seis libros individuales, escritos en tres continentes [Europa, Asia y África], en tres idiomas [hebreo, griego y arameo], en un periodo de 1,600 años, por cuarenta autores, que fueron de culturas y contextos diversos, pero que Dios los inspiró para escribir su Palabra.

El impacto que causó a los autógrafas del Nuevo Testamento ver a Cristo resucitado les dio la determinación para escribir y predicar su Palabra por todas las naciones, aunque les costara la vida. Gracias a ellos nosotros conocemos la Palabra de Dios. ¡Definitivamente no hay un libro que se le compare!

«Toda la Escritura es inspirada por Dios, y útil para enseñar, para redargüir, para corregir, para instruir en justicia» (2 Timoteo 3:16).

Los principios de la Biblia son eternos, no se pueden cortar, no se pueden adecuar a los tiempos o a las circunstancias, ni a los seres humanos.

La historia del hombre es cíclica, los juicios de Dios se repiten a través de la historia cuando el hombre se rebela contra Dios. Algunos insensatos han dicho que la Biblia es obsoleta, que debería estar en los basureros de la historia, que está escrita para el pasado. No obstante, aunque los tiempos cambien, el hombre sigue siendo hombre y Dios sigue siendo Dios. Dios no cambia ni cambiará. Él no es humano para cambiar, ni para mentir.

Hay que conocer a Dios para comprender que el amor es el mensaje principal de la Biblia.

A Dios le interesa tu alma y que vivas eternamente con Él, más Dios no obliga a nadie, Dios conquista. Si las personas no creen y no obedecen a Dios, Él no las obligará, aunque tenga el poder para hacerlo.

La tierra es un laboratorio para los seres humanos en donde Dios prueba los corazones.

Lo que Napoleón Bonaparte pensaba de Jesucristo

« Las mentes superficiales ven un parecido entre Cristo y los fundadores de los Imperios o los dioses de algunas religiones. Este no es el caso, puesto que tal parecido no existe.

» Entre el cristianismo y cualquier otra filosofía existe una distancia infinita.

» Todo lo referente a Cristo me asombra, su Espíritu me anonada, su voluntad me confunde, entre Él y cualquier otro personaje de la historia del mundo no hay un sólo termino posible de comparación.

» Ciertamente Alejandro, César, Carlomagno y yo, hemos fundado imperios, pero...

» ¿Sobre qué descansan las creaciones de nuestro genio?... sobre la fuerza; sin embargo, Jesucristo fundó su imperio sobre el amor y estoy seguro que aún en esta misma hora millones de personas (de todas clases sociales y edades, voluntaria y gustosamente) darían su vida hasta la muerte por Él.

» Solamente Cristo ha llegado a tener tal éxito, ante las barreras del tiempo y del espacio, a través del intervalo abismal de 1,800 años.

» Jesucristo solicita lo que la filosofía puede a menudo buscar en vano: el corazón del hombre e incondicionalmente su demanda es satisfecha sin tardanza. Todo aquel que cree sinceramente en Él experimenta ese amor sobrenatural hacia Él.

» Este fenómeno es indescriptible, pues está más allá de la comprensión del hombre; el tiempo, que es el gran destructor, no puede (no ha podido, ni podrá) agotar su fuerza ni tampoco poner un límite a su alcance.

» La naturaleza de la existencia de Cristo es misteriosa, debo admitirlo, pero este misterio satisface las más íntimas necesidades del hombre, por lo tanto, si se le rechaza, el mundo es un enigma inexplicable, pues está más allá de la comprensión del hombre, más si se cree en Él, la historia de la raza humana se explica satisfactoriamente.

» Él, ciertamente, es un Ser único en sus ideas y sentimientos; la verdad que anuncia y su manera de convencer no pueden ser explicadas por alguna organización humana, ni por la naturaleza de las cosas; su mensaje es la revelación de una inteligencia que ciertamente no es la de un hombre mortal, y en ninguna otra parte puede uno hallar (excepto en Él) tal ejemplo de vida. Escudriño en vano en la historia para hallar alguien parecido a Jesucristo o algo que pueda aproximarse al Evangelio, pero ni la historia, ni la humanidad, ni las edades, ni la naturaleza me ofrecen algo con lo cual yo pueda compararlo o explicarlo ¡aquí todo es extraordinario!».

«Acordaos de las cosas pasadas desde los tiempos antiguos; porque yo soy Dios, y no hay otro Dios, y nada hay semejante a mí, que anuncio lo por venir desde el principio, y desde la antigüedad lo que aún no era hecho; que digo: Mi consejo permanecerá, y haré todo lo que quiero; que llamo desde el oriente al ave, y de tierra lejana al varón de mi consejo. Yo hablé, y lo haré venir; lo he pensado, y también lo haré» (Isaías 46:9-11).

"Así dice Jehová Rey de Israel, y su Redentor, Jehová de los ejércitos: Yo soy el primero, y yo soy el postrero, y fuera de mí no hay Dios. ¿Y quién proclamará lo venidero, lo declarará, y lo pondrá en orden delante de mí, como hago yo desde que establecí el pueblo antiguo? Anúncienles lo que viene, y lo que está por venir. No temáis, ni os amedrentéis; ¿no te lo hice oír desde la antigüedad, y te lo dije? Luego vosotros sois mis testigos. No hay Dios sino yo. No hay Fuerte; no conozco ninguno» (Isaías 44:6-8).

«Jesús le dijo: Yo soy el camino, y la verdad, y la vida; nadie viene al Padre, sino por mí» (Juan 14:6).

Los propósitos principales de la Biblia

⇒ desarrollar el carácter de Dios en nosotros, un carácter santo, justo, puro, perfecto y misericordioso;

⇒ llevarnos a lo eterno con Dios;

⇒ que entendamos el plan de Dios para la humanidad, y

⇒ <u>salvar nuestra alma.</u>

En la Biblia tenemos más de 6,000 promesas. Dios no tiene planes de calamidad para sus hijos. De estas tantas promesas tan sólo mencionaré a continuación algunas de ellas:

«De cierto, de cierto os digo: El que oye mi palabra, y cree al que me envió, tiene vida eterna; y no vendrá a condenación, mas ha pasado de muerte a vida» (Juan 5:24).

«Honra a tu padre y a tu madre, que es el primer mandamiento con promesa; para que te vaya bien y seas de larga vida sobre la tierra» (Efesios 6:2-3).

«Y he aquí yo estoy con vosotros todos los días, hasta el fin del mundo. Amén» (Mateo 15:20).

«¿Qué, pues, diremos a esto? Si Dios es por nosotros, ¿quién contra nosotros?» (Romanos 8:31).

Dios busca en su Palabra ser el centro de tu vida

Muchas personas piensan que por cumplir asistiendo a la iglesia los domingos o una vez por semana quedan bien con Dios, más Él, es muy claro en su Palabra en cuanto a lo que busca de nosotros. Trataré de explicarlo de la mejor manera, para que puedas identificar la condición actual en la que te encuentras en cuanto a tu relación con Dios.

El siguiente versículo nos habla de las tres condiciones en las que se puede encontrar el ser humano en su relación con Dios

«Yo conozco tus obras, que ni eres frío ni caliente. ¡Ojalá fueses frío o caliente! Pero por cuanto eres tibio, y no frío ni caliente, te vomitaré de mi boca. Porque tú dices: Yo soy rico, y me he enriquecido, y de ninguna cosa tengo necesidad; y no sabes que tú eres un desventurado, miserable, pobre, ciego y desnudo. Por tanto, yo te aconsejo que de mí compres oro refinado en fuego, para que seas rico, y vestiduras blancas para vestirte, y que no se descubra la vergüenza de tu desnudez; y unge tus ojos con colirio, para que veas. Yo reprendo y castigo a todos los que amo; sé, pues, celoso, y arrepiéntete. He aquí, yo estoy a la puerta y llamo; si alguno oye mi voz y abre la puerta, entraré a él, y cenaré con él, y él conmigo. Al que venciere, le daré que se siente conmigo en mi trono, así como yo he vencido, y me he sentado con mi Padre en su trono. El que tiene oído, oiga lo que el Espíritu dice a las iglesias» (Apocalipsis 3:15-22).

Dios nos plantea tres condiciones: <u>frío</u>, <u>tibio</u> y <u>caliente</u>; y las consecuencias de cada una de estas condiciones.

NUESTRA VIDA LA COMPONEN CUATRO CONCEPTOS:

Palabras: todo lo que diga nuestra boca (P);
Intenciones: todo lo que proviene del corazón (I);
Pensamientos: el verdadero Yo (Pe);
Actitudes: lo que nos ven hacer, las acciones evidentes (A).

FRIOS

En la primera condición, Dios no forma parte de la vida de las personas en ninguno de los conceptos antes mencionados (palabras, intenciones, pensamientos y actitudes). Dios no ocupa ningún pensamiento en tu vida cotidiana, no tienes una relación con Dios.

Esto significa que no conoces las cosas de Dios y los conceptos antes mencionados están centrados en tu persona.

«Mi pueblo fue destruido, porque le faltó conocimiento. Por cuanto desechaste el conocimiento, yo te echare del sacerdocio; y porque olvidaste la ley de tu Dios, también yo me olvidare de tus hijos» (Oseas 4:6).

«y cualquiera que me niegue delante de los hombres yo también le negaré delante de mi padre que está en los cielos» (Mateo 10:33).

Los fríos buscan el reconocimiento de <u>las demás personas y no de Dios.</u>

CALIENTES

Dios es el centro de tu vida y todas tus actitudes, pensamientos, palabras e intenciones son motivadas por Dios. Siempre quieres agradarlo, esa es tu principal motivación al hacer las cosas. Para ti, deja de ser importante lo que la sociedad dicte en cuanto a estilos de vida, modas o tradiciones y no buscas el reconocimiento de los demás.

Una persona *caliente* (en el concepto de Dios) es aquella que <u>ama</u> fervorosamente al Señor y trata de <u>agradarle</u>

siempre en todo, sin que le importe el reconocimiento de los hombres.

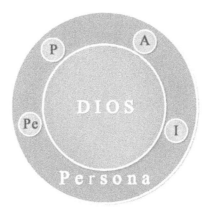

«De modo que si alguno está en Cristo, nueva criatura es; las cosas viejas pasaron, he aquí todas son hechas nuevas» (2 corintios 5:17).

«Respondió Jesús y le dijo: de cierto, de cierto te digo, que el que no naciere de nuevo, no puede ver el reino de Dios» (Juan 3:3).

«Si me amáis, guardad mis mandamientos» (Juan 14:15).

«El que me ama, mi palabra guardará; y mi Padre le amará, y vendremos a él, y haremos morada con Él. El que no me ama, no guarda mis palabras; y la palabra que habéis oído no es mía, sino del Padre que me envió» (Juan 14:23).

«El que tiene mis mandamientos, y los guarda, ese es el que me ama, el que me ama será amado por mi padre, y Yo le amare, y me manifestare en él» (Juan 14:21).

TIBIOS

Conocen a Dios, pero se lo acomodan conforme a su intelecto, siguen las instrucciones de Dios a medias conforme se sientan más cómodos. Aquí entran las personas que van a la iglesia para cumplir.

Imagínate que hagas una cena para tus hijos todos los domingos y te enteras que uno de ellos va sólo por cumplir, que en realidad no tiene ganas de verte. Eso en realidad te entristecería. Dios es igual, a Él no le gusta que vayas a la iglesia para *cumplir* con Él. Dios, quien te creó, no se conforma con eso. A Dios no le puedes esconder nada. Él ve las intenciones de las personas, ve tu corazón, y no solamente las acciones.

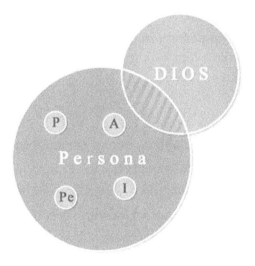

«Pero por cuanto eres <u>tibio</u> te vomitare de mi boca» (Apocalipsis 3:16).

La Palabra de Dios es clara y contundente, Dios explica que para Él es la misma condición ser frío o tibio, *el tibio es igual que un ateo.*

Evaluar nuestras prioridades

Dios nos pide rediseñar nuestras prioridades, cambiar nuestro propósito, cambiar el rumbo, cambiar nuestra visión, la cual, en la mayoría de los casos, está conformada al mundo. El desconocimiento de Dios hace que las personas sean motivadas por las cosas terrenales: el reconocimiento de las personas, el poder, el dinero, la vanidad, etc. A Dios nada de esto le interesa. Y debido a que el orden de prioridades establecido por Él ha sido trastocado, la humanidad ha sufrido grandes tragedias y catástrofes sin precedentes. Esto luego hace parecer injusta la vida en la tierra y en muchas ocasiones los seres humanos culpamos a Dios y nos preguntamos, ¿por qué Dios permite todas estas cosas? la realidad es que estamos alejados de Él y esta es la razón por la que el mundo sufre.

> «El que ama a su padre más que a mí, no es digno de mí, el que ama a hijo o hija más que a mí, no es digno de mi» (Mateo 10:37).

Nuestro ser: espíritu, alma y cuerpo

La Palabra de Dios establece que el ser humano está constituido por espíritu, alma y cuerpo.

- CUERPO: nuestros impulsos, los cinco sentidos; nuestras necesidades fisiológicas (el hambre, la sed, el sueño, etc.)
- ALMA: el intelecto, las emociones y la voluntad.
- ESPÍRITU: nuestra conciencia.

> «Y el mismo Dios de paz os santifique por completo; y todo vuestro ser, espíritu, alma y cuerpo, sea guardado irreprensible para la venida de nuestro Señor Jesucristo» (1 Tesalonicenses 5:23).

La Palabra de Dios nos enseña que cuidemos nuestra alma; ella es la que está destinada a la vida eterna con Dios o al tormento eterno lejos de Dios.

El cuerpo va a la tumba (*polvo eres y al polvo volverás – Génesis 3:19*) y el espíritu va con Dios quien lo dio.

> «Con el sudor de tu rostro comerás el pan hasta que vuelvas a la tierra, porque de ella fuiste tomado, pues polvo eres y al polvo volverás» (Génesis 3 :19).

«y el polvo vuelva a la tierra como era, y el espíritu vuelva a Dios quien lo dio» (Eclesiastés 12:7).

«Y no temáis a los que matan el cuerpo, mas el alma no pueden matar, temed más bien al que puede destruir el alma y el cuerpo en el infierno» (Mateo 10:28).

«porque ¿qué aprovechará al hombre, si ganare todo el mundo, y perdiere su alma ¿o qué recompensa dará el hombre por su alma» (Mateo 16:26).

Después de ver estos conceptos fundamentales, en el siguiente capítulo entraremos a los temas principales de este libro enfocados al *Reloj de Dios*, su plan para la humanidad (el pasado, el presente y el futuro).

Recuerden que Dios ya tiene la película completa, Él mismo la escribió, Él tiene el conocimiento anticipado de las todas cosas, Él ya vio todo el desfile, nosotros tenemos tan sólo parte de la información, para Dios el futuro es historia.

CAPÍTULO 1

La creación

Aprox. 4000 a. C

Dios nos creó a su imagen y semejanza

«Entonces dijo Dios: Hagamos al hombre a nuestra imagen, conforme a nuestra semejanza; y señoree en los peces del mar, en las aves de los cielos, en las bestias, en toda la tierra, y en todo animal que se arrastra sobre la tierra» (Génesis 1:26).

Algunas personas, cuando leen este versículo bíblico piensan que Dios tiene ojos, oídos, brazos, etc. sin embargo, lo que Dios quiere decir aquí es que el hombre fue creado semejante a Él en cuanto al aspecto espiritual.

Somos semejantes a Dios espiritualmente: Dios piensa, siente, decide, crea (nosotros creamos a partir de lo creado, pero Dios crea a partir de la nada); Él se expresa, gobierna... y lo más importante, Dios es eterno.

Dios nos creó —principalmente— con una conciencia eterna: el alma no muere.

«Todo lo hizo hermoso en su tiempo; y ha puesto eternidad en el corazón de ellos, sin que alcance el hombre a entender la obra que ha hecho Dios desde el principio hasta el fin» (Eclesiastés 3:11).

Dios crea al hombre

Cuando Dios creó los grandes monstruos marinos y todo tipo de peces (los tiburones, los delfines, etc.), Él se dirigió a las aguas y dijo: «Produzcan las aguas seres vivientes». Cuando creó los animales terrestres (el burro, la vaca, el caballo, etc.), se dirigió a la tierra y dijo: «Produzca la tierra seres vivientes»; pero cuando hizo al hombre ¿a quién se dirigió? Se dirigió a Él mismo y dijo: «Hagamos al hombre a nuestra imagen, conforme a nuestra semejanza».

Ahora, de ahí surge una pregunta: ¿Qué pasa si al delfín lo pones en la tierra? Muere, porque no está en su medio am-

biente. ¿Qué pasa si a una vaca la pones en el agua? Muere
también, porque no está en su medio ambiente. ¿Qué pasa si
el hombre no tiene a Dios? ¡Está muerto! Por causa de la misma razón, porque no está en su medio ambiente.

Te estarás preguntando: Pero, ¿cómo puedes decir esto, si
yo estoy vivo? Dios se refiere a una muerte espiritual.

Cuando Adán y Eva pecaron, el mundo fue entregado a
Satanás, esta es la razón por la cual todos los países del mundo tienen influencia de Satanás.

«Y le llevó el diablo a un alto monte, y le mostró en un momento todos los reinos de la tierra. Y le dijo el diablo: A ti te
daré toda esta potestad, y la gloria de ellos; porque a mí me
ha sido entregada, y a quien quiero la doy» (Lucas 4:5-6).

El diablo, en esta ocasión, no estaba mintiendo, pues a él
le fue entregado el gobierno de la tierra, cuando Adán y Eva
pecaron (lee Juan 14:30).

El propósito de Satanás es destruir el diseño perfecto de
Dios, es decir, el hombre, la mujer y la familia. Satanás quiere destruir todo el reconocimiento de Dios en la vida del
hombre. Él quiere que mantengas la Biblia cerrada, y distraer
tu atención de las cosas de Dios.

«Así que, recibiendo nosotros un reino inconmovible, tengamos gratitud, y mediante ella sirvamos a Dios agradándole
con temor y reverencia» (Hebreos 12:28).

«Sed sobrios, y velad; porque vuestro adversario el diablo,
como león rugiente, anda alrededor buscando a quien devorar» (1 Pedro 5:8).

Amigos, Dios no vino a contarnos cuentos; lo que está
escrito en la Biblia es su Palabra, su sagrada Palabra, y Dios
no es humano para que mienta. Hay una lucha por las almas, una lucha que no podemos ver, presente en un mundo

invisible, una guerra espiritual donde se involucran demonios de las tinieblas y ángeles de Dios. Tú debes decidir de qué lado estar, pues no existe un estado intermedio.

«Por lo demás, hermanos míos, fortaleceos en el Señor, y en el poder de su fuerza. Vestíos de toda la armadura de Dios, para que podáis estar firmes contra las asechanzas del diablo. Porque no tenemos lucha contra sangre y carne, sino contra principados, contra potestades, contra los gobernadores de las tinieblas de este siglo, contra huestes espirituales de maldad en las regiones celestes. Por tanto, tomad toda la armadura de Dios, para que podáis resistir en el día malo, y habiendo acabado todo, estar firmes» (Efesios 6:10-13).

Nuestra lucha no es entre nosotros mismos, y de ello Dios nos advierte, que no tengamos conflictos entre nosotros; más bien, existe una lucha espiritual de la que debemos siempre estar conscientes, pues esto es sumamente importante.

Consecuencias del pecado

Cuando Adán y Eva pecaron se tuvo que derramar sangre inocente y esto nos da clara evidencia de las consecuencias del pecado: el pecado hace necesario el derramamiento de sangre.

«Y Jehová Dios hizo al hombre y a su mujer túnicas de pieles, y los vistió» (Génesis 3:21).

Para poder hacer las túnicas fue necesario sacrificar animales, y con ello, obviamente, un derramamiento de sangre. Las consecuencias del pecado son serias, tanto, que Jesucristo tuvo que dar su vida para redimir los pecados del mundo.

«Porque de tal manera amó Dios al mundo, que ha dado a su Hijo unigénito, para que todo aquel que en él cree, no se pierda, mas tenga vida eterna» (Juan 3:16).

El ADN

En el 2003, los científicos creyeron estar cerca de descubrir los elementos totales constituyentes del genoma humano: alrededor de 3,000 millones de caracteres.

El descubrimiento y decodificación del ADN es como si un hombre primitivo, al caminar por la selva se encuentra con una computadora, o un hombre solo en el desierto se encontrase el motor de un carro y ambos considerasen la posibilidad de que aquello que encontraron se formó solo.

Los científicos que descubrieron el ADN, en lugar de maravillarse por la creación de Dios, niegan la existencia de un Creador. Ellos creen más bien que el hombre se creó solo, obedeciendo a la teoría del Big Bang. Esto significaría que el ser humano desarrolló sentimientos tales como el amor a partir de una explosión, ¡esto es increíble!

Aunque el descubrimiento del ADN pueda contribuir en el desarrollo de la medicina, éste lleva consigo un lado sombrío: el ser humano cree haber entendido el misterio de la vida. Tanto James Watson, como Francis Crick (dos de los descubridores del ADN), han declarado en repetidas ocasiones que el descubrimiento del ADN confirma cada vez más la teoría de la evolución, y desacredita lo que ellos llaman, la hipótesis de un Dios.

«Dice el necio en su corazón: No hay Dios» (Salmo 14:1).

Como en los días de Noé

Aprox. 2800 a. C.
(1,650 años después de la creación)

«Mas como en los días de Noé, así será la venida del Hijo del
Hombre. Porque como en los días antes del diluvio estaban
comiendo y bebiendo, casándose y dando en casamiento,
hasta el día en que Noé entró en el arca, y no entendieron
hasta que vino el diluvio y se los llevó a todos, así será también la venida del Hijo del Hombre. Entonces estarán dos en
el campo; el uno será tomado, y el otro será dejado. Dos mujeres estarán moliendo en un molino; la una será tomada, y
la otra será dejada. Velad, pues, porque no sabéis a qué hora
ha de venir vuestro Señor» (Mateo 24:37-42).

El Diluvio

El Diluvio fue la tempestad más grande de todos los tiempos; un evento en el que llovió por cuarenta días y cuarenta
noches. Los científicos han querido anular la existencia del
Diluvio, pero una prueba innegable de esto es que antes todo era un solo continente, y ahora existen varios, separados
por grandes masas de agua (los océanos y los mares). El Diluvio provocó que una sola masa de tierra se dividiera en
varias.

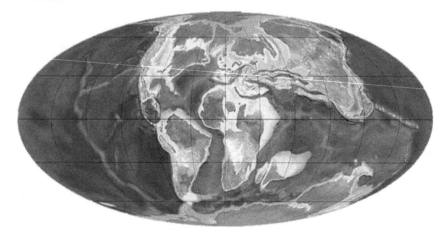

Otra prueba contundente del Diluvio es la fosilización. Si
hoy existe petróleo se debe a que en el Diluvio llovió agua
hirviendo. En aquella época no llovía; el riego era por vapori-

zación; razón por la cual la sociedad pre diluviana no creyó a la predicación de Noé. Llovió agua hirviendo del cielo, brotó agua de las profundidades de la tierra y provocó la inundación más devastadora de todos los tiempos, algo que acabó con todo ser viviente.

Si piensas que la sociedad pre diluviana era una sociedad retrograda o cavernícola estás equivocado, era una sociedad avanzada. El arca de Noé era del tamaño de diecisiete vagones de tren y de tres pisos de alto.

Noé se tardó 120 años en construirla, mismos que Dios le dio la oportunidad a la sociedad pre diluviana para que se arrepintiera y creyera.

«Y vio Jehová que la maldad de los hombres era mucha en la tierra, y que todo designio de los pensamientos del corazón de ellos era de continuo solamente el mal» (Génesis 6:5).

«Y se corrompió la tierra delante de Dios, y estaba la tierra llena de violencia. Y miró Dios la tierra, y he aquí que estaba corrompida; porque toda carne había corrompido su camino sobre la tierra. Dijo, pues, Dios a Noé: He decidido el fin de todo ser, porque la tierra está llena de violencia a causa de ellos; y he aquí que yo los destruiré con la tierra» (Génesis 6:11-13).

Dios se arrepintió de haber hecho al hombre.

«Y se arrepintió Jehová de haber hecho hombre en la tierra, y le dolió en su corazón. Y dijo Jehová: Raeré de sobre la faz de la tierra a los hombres que he creado, desde el hombre hasta la bestia, y hasta el reptil y las aves del cielo; pues me arrepiento de haberlos hecho» (Génesis 6:6-7).

Dios se arrepintió en gran manera de haber creado al ser humano, pues, la sociedad pre diluviana era violenta en extremo, perversa y completamente alejada de Dios. En la actualidad, la sociedad es muy parecida; y yo creo que, si Noé estuviera vivo y entre nosotros, diría que el juicio está cerca.

¿Por qué Noé halló gracia ante los ojos de Dios?

«Pero Noé halló gracia ante los ojos de Jehová. Estas son las generaciones de Noé: Noé, varón justo, era perfecto en sus generaciones; con Dios caminó Noé» (Génesis 6:8-9).

En este caso, la palabra *justo* se refiere *a* que Noé, al ver la desgracia de los demás, no reaccionaba ante ello con indiferencia, que le dolía en el corazón; y por esta razón era perfecto ante los ojos de Dios.

Con Dios camino Noé y esta fue la razón por la que fue tan sólo él y su familia quienes sobrevivieron al Diluvio.

«y si no perdonó al mundo antiguo, sino que guardó a Noé, pregonero de justicia, con otras siete personas, trayendo el diluvio sobre el mundo de los impíos» (2 Pedro 2:5).

En la sociedad pre diluviana comían y bebían (la glotonería era su forma habitual de vivir); y se divertían con cosas pecaminosas. Ellos no pensaban en lo eterno, en las cosas de Dios, sino más bien era, simplemente, una sociedad consumista.

Comamos y bebamos porque mañana moriremos

«y he aquí gozo y alegría, matando vacas y degollando ovejas, comiendo carne y bebiendo vino, diciendo: Comamos y bebamos, porque mañana moriremos» (Isaías 22:13).

¿Acaso no es la mentalidad de los jóvenes de hoy? y aun de los que no son tan jóvenes: diversión, glotonería y desenfreno.

Comamos y bebamos porque mañana moriremos, ¿acaso no es el pensamiento de hoy? sexo, drogas, la vida loca...

pues ellos dicen: «¡Vamos! sólo se vive una vez». Este fue el pensamiento que llevó a la destrucción a la sociedad pre diluviana. Asimismo, Pablo nos advierte de este pensamiento tan peligroso en:

> «Si como hombre batallé en Éfeso contra fieras, ¿qué me aprovecha? Si los muertos no resucitan, comamos y bebamos, porque mañana moriremos. No erréis; las malas conversaciones corrompen las buenas costumbres» (1 Corintios 15:32-33).

> «Y se corrompió la tierra delante de Dios, y estaba la tierra llena de violencia» (Génesis 6:11).

Una vez más lo repito, si Noé viviera en nuestros tiempos, diría que éste es en un tiempo muy parecido al que él vivió previo al diluvio: la tierra está llena de violencia y corrupción, y aunque nuestros gobernantes hablan de eliminar estos males, sin Dios, esto nunca será posible.

Así, la sociedad pre diluviana se había corrompido, la humanidad toda se había pervertido moralmente, y los mandamientos de Dios no importaban para ellos.

Perversidad sexual

> «Y miró Dios la tierra, y he aquí que estaba corrompida; porque toda carne había corrompido su camino sobre la tierra» (Génesis 6:12).

Todo ser humano se había desviado de su camino: homosexualidad, lesbianismo y bestialismo eran el pan de cada día, violencia e inmoralidad sexual existían antes del diluvio.

> «No te echarás con varón como con mujer; es abominación. Ni con ningún animal tendrás ayuntamiento amancillándote con él, ni mujer alguna se pondrá delante de animal para

ayuntarse con él; es perversión. En ninguna de estas cosas os amancillaréis; pues en todas estas cosas se han corrompido las naciones que yo echo de delante de vosotros, y la tierra fue contaminada; y yo visité su maldad sobre ella, y la tierra vomitó sus moradores. Guardad, pues, vosotros mis estatutos y mis ordenanzas, y no hagáis ninguna de estas abominaciones, ni el natural ni el extranjero que mora entre vosotros (porque todas estas abominaciones hicieron los hombres de aquella tierra que fueron antes de vosotros, y la tierra fue contaminada); no sea que la tierra os vomite por haberla contaminado, como vomitó a la nación que la habitó antes de vosotros. Porque cualquiera que hiciere alguna de todas estas abominaciones, las personas que las hicieren serán cortadas de entre su pueblo. Guardad, pues, mi ordenanza, no haciendo las costumbres abominables que practicaron antes de vosotros, y no os contaminéis en ellas. Yo Jehová vuestro Dios» (Levítico 18:22-30).

La sociedad pre diluviana no pensaba en lo eterno, no pensaba en lo espiritual, era una sociedad consumista terrenal y materialista. Ellos tan sólo pensaban en el presente; pasaban la vida matando vacas, degollando ovejas, divirtiéndose y diciendo, «sólo se vive una vez».

Definitivamente, esta fue una sociedad completamente corrupta; sin embargo, aunado a esto, por aquel tiempo hubo alteración de la genética.

No solamente Satanás se rebeló contra Dios, Esta sociedad pre diluviana también tuvo una rebelión de ángeles.

Rebelión de los ángeles

«Aconteció que cuando comenzaron los hombres a multiplicarse sobre la faz de la tierra, y les nacieron hijas, que viendo los hijos de Dios que las hijas de los hombres eran hermosas, tomaron para sí mujeres, escogiendo entre todas» (Génesis 6:1-2).

Cabe mencionar que este es un tema polémico en las iglesias, pero yo mantengo la opinión de que en la sociedad pre diluviana hubo ángeles que pecaron y que —de alguna manera— tuvieron relaciones con mujeres hermosas, y que el resultado de estas relaciones fueron los gigantes que medían hasta cinco metros de altura.

El versículo dice: los hijos de Dios tomaron hijas de los hombres. Aunque en Deuteronomio 14:1 y Jeremías 3:19 se les llama *hijos de Dios* a los israelitas del Antiguo Testamento, para demostrar que a los ángeles *también* se les designa de la misma manera, iremos al libro de Job.

«Un día vinieron a presentarse delante de Jehová los hijos de Dios, entre los cuales vino también Satanás» (Job 1:6).

Satanás es un ángel caído, pero a él se le llama aquí hijo de Dios.

Por otro lado, también a los seres humanos se les llama *hijos de los hombres*. Esto se puede comprobar con muchos pasajes contenidos en el libro de Ezequiel. Por ejemplo, cuando un ángel aparece al profeta, y le explica la profecía concerniente a la reconstrucción del templo de Salomón (la cual no está cumplida aun, sino hasta el tiempo de la tribulación), él le dice:

«Hijo de hombre, mira con tus ojos, y oye con tus oídos, y pon tu corazón a todas las cosas que te muestro; porque para que yo te las mostrase has sido traído aquí. Cuenta todo lo que ves a la casa de Israel» (Ezequiel 40:4).

Ezequiel es un ser humano y casi en todo el libro que lleva su nombre se le llama hijo de hombre.

Luego, 1,500 años después aproximadamente, en el Nuevo Testamento, los apóstoles Judas y Pedro confirman el evento de Génesis 6 cuando dicen:

«Y a los ángeles que no guardaron su dignidad, sino que abandonaron su propia morada, los ha guardado bajo oscuridad, en prisiones eternas, para el juicio del gran día» (Judas 1:6).

«Porque si Dios no perdonó a los ángeles que pecaron, sino que arrojándolos al infierno los entregó a prisiones de oscuridad, para ser reservados al juicio» (2 Pedro 2:4).

Desde la creación hasta el diluvio pasaron 1,650 años, sin duda alguna Dios hace todo perfecto y la humanidad fue creada perfecta; sin embargo, fueron aquellos ángeles (posiblemente demonios que tomaron cuerpos de hombres depravados) los que, al tomar las mujeres hermosas de que habla el pasaje, alteraron la genética perfecta diseñada por Dios.

El producto de estas relaciones fueron los gigantes de renombre de los que habla el Génesis.

«Los gigantes aparecieron en la tierra cuando los hijos de Dios se unieron con las hijas de los hombres para tener hijos con ellas, y también después. Ellos fueron los famosos héroes de los tiempos antiguos» [versión DHH] (Génesis 6:4).

La medida de los gigantes era de cinco metros en promedio.

«Porque únicamente Og rey de Basán había quedado del resto de los gigantes. Su cama, una cama de hierro, ¿no está en Rabá de los hijos de Amón? La longitud de ella es de nueve codos, y su anchura de cuatro codos, según el codo de un hombre» (Deuteronomio 3:11).

Esta medida de nueve codos equivale a alrededor de <u>cinco</u> metros.

Dios decidió acabar con esta sociedad que se había corrompido totalmente y no fue Noé quien cerró la puerta del arca, pues el juicio era de Dios y no de Noé, por ello fue Dios mismo quien cerró la puerta del arca. Porque cuando <u>Dios decide hacer justicia, su Palabra es determinante</u>.

> «Y los que vinieron, macho y hembra de toda carne vinieron, como le había mandado Dios; y Jehová le cerró la puerta» (Génesis 7:16).

Hubo un hombre llamado Enoc que agradó a Dios en la época pre diluviana; un hombre que fue arrebatado vivo al cielo, pues Dios se lo llevó. Más adelante veremos la importancia de este personaje.

> «Y caminó Enoc con Dios, después que engendró a Matusalén, trescientos años, y engendró hijos e hijas. Y fueron todos los días de Enoc trescientos sesenta y cinco años. Camino, pues, Enoc con Dios, y desapareció, porque le llevó Dios» (Génesis 5:22-23).

> «Por la fe Enoc fue traspuesto para no ver muerte, y no fue hallado, porque lo traspuso Dios; y antes que fuese traspuesto, tuvo testimonio de haber agradado a Dios» (Hebreos 11:5).

CAPÍTULO 3

La torre de Babel

2030 a. C.

(*Aprox.* 600 años después del diluvio)

Fructificad y multiplicaos

Después que el arca de Noé estuvo un año aproximadamente en el agua, encalló en el monte Ararat, en Turquía; y de ahí se fueron a la tierra de Sinar, actual Irak (ciudad entre dos ríos).

La orden de Dios a Noé y a sus hijos fue muy clara, los bendijo y les dijo: <u>Fructificad y multiplicaos y llenad la tierra</u>.

«Todos los animales que están contigo de toda carne, de aves y de bestias y de todo reptil que se arrastra sobre la tierra, sacarás contigo; y vayan por la tierra, y fructifiquen y multiplíquense sobre la tierra» (Génesis 8:17).

«Bendijo Dios a Noé y a sus hijos, y les dijo: Fructificad y multiplicaos, y llenad la tierra» (Génesis 9:1).

«Mas vosotros fructificad y multiplicaos; procread abundantemente en la tierra, y multiplicaos en ella» (Génesis 9:7).

La desobediencia

Tenía entonces toda la tierra una sola lengua y unas mismas palabras; y el hombre, consciente de sus capacidades, decidió establecerse y construir una de las primeras ciudades construidas después del Diluvio.

Nimrod fue un hombre poderoso y cazador, pero de corazón malo. Éste, en oposición a Jehová, comenzó su reinado en Babel, ubicada en la tierra de Sinar. Luego, en desafío al Todopoderoso, él y su gente estuvieron decididos a construir una torre cuyos propósitos fueron los siguientes:

HACERSE FAMOSOS: que fueran reconocidos por las demás ciudades y así, hacerse de renombre.

SEGURIDAD: si volvía a caer otro diluvio ellos escaparían, es decir, ellos pensaron, que con esta torre, serían capaces de escapar de la mano de Dios.

También querían PROMULGAR UNA RELIGIÓN FALSA: querían venerar a otros dioses.

REBELIÓN CONTRA DIOS: con esta torre quisieron consolidar su rebelión contra Dios, y así, establecer un imperio y una monarquía que abarcara todo el mundo.

Las intenciones de los hombres de Babel se asemejan mucho a los pensamientos que hoy existen: las naciones buscan poder y distinción; nosotros buscamos reconocimiento en nuestros trabajos, nos interesa qué piensan los hombres de nosotros, y Dios, quien es el principio y fin de todas las cosas, lo relegamos.

La historia es cíclica a través del tiempo, el hombre no cambia, a través de las generaciones, el hombre es hombre y Dios es Dios.

Dios es paciente —lo dice su Palabra—, pero su paciencia tiene un límite; Él enviará juicio contra la humanidad, tal y como fue en los días de Noé.

¿Cuál fue la respuesta de Dios?

«Y descendió Jehová para ver la ciudad y la torre que edificaban los hijos de los hombres. Y dijo Jehová: He aquí el pueblo es uno, y todos éstos tienen un solo lenguaje; y han comenzado la obra, y nada les hará desistir ahora de lo que han pensado hacer.

Ahora, pues, descendamos, y confundamos allí su lengua, para que ninguno entienda el habla de su compañero. Así los esparció Jehová desde allí sobre la faz de toda la tierra, y dejaron de edificar la ciudad. Por esto fue llamado el nombre de ella Babel, porque allí confundió Jehová el lenguaje de toda la tierra, y desde allí los esparció sobre la faz de toda la tierra» (Génesis 11:5-9).

DOS ASPECTOS IMPORTANTES:

- Primer juicio (Noé): *Y vio Dios que la maldad era de continuo.*
- Segundo juicio (Babel): *Y nada les hará desistir.*

Dios manda juicio cuando ya no hay posibilidad de arrepentimiento.

LA RESPUESTA DE DIOS

Dios confundió el lenguaje de todos aquellos hombres; por tanto, no les quedó otro remedio que esparcirse por toda la tierra, tal y como Dios lo había ordenado inicialmente. Imagínate los trabajadores de una empresa que se encuentran laborando. Luego, de un momento a otro, todos empiezan a hablar un idioma diferente. Los directores, los gerentes, los jefes, los supervisores y los obreros, nadie puede entenderse el uno con el otro. Si muchas veces, hablando el mismo idioma batallamos para cumplir los objetivos, imagínate el escenario: aquellos hombres estaban construyendo la torre y de pronto, nadie puede entenderse con su compañero. El resultado fue obvio, dejaron de trabajar. Contra Dios es imposible luchar porque si lo haces, siempre pierdes.

LA SABIDURÍA DE DIOS

Cuando hay muchos grupos pequeños y no existe cohesión entre ellos, será muy difícil que se logre un propósito común. Así fue como Dios logró reducir a nada este grupo tan tremendamente poderoso de gente reunida en rebelión contra Él (como lo dice la famosa frase, *divide y vencerás*).

Dios complicó con este juicio la influencia que Satanás ejerce en la humanidad al rebelarse contra Dios. Fue también Babel la ciudad en donde se crearon la mayoría de las religiones falsas. Nimrod fue el rey de Babilonia y su nombre significa *rebelión*. En la antigüedad los nombres determinaban la personalidad de los individuos y no eran solamente una forma distintiva de llamarles.

Nimrod fue hijo de Cam, quien, a su vez, fue hijo de Noé; él fundó a Siria y fue padre de los cananeos, naciones que siempre han querido destruir a Israel.

La gran ramera

El Apocalipsis (el libro de la revelación), fue el último libro de la Biblia, escrito en el año 100 d. C. En el capítulo 17 (principalmente) Dios nos habla sobre Babel o Babilonia (la gran ramera). La *gran ramera* se relaciona con la iglesia impostora que fornica (negocia) con los reyes de la tierra. La combinación de religión y política es veneno puro para las almas de las personas, porque los intereses cambian, ya no son los intereses de Dios los que importan. Esta es la iglesia que se prostituye; y si Dios la llama *la gran ramera* debe estar bastante enojado, pues, definitivamente, este no es un título de elogio.

> «y en su frente un nombre escrito, un misterio: Babilonia la grande, La madre de las rameras y de las abominaciones de la tierra» (Apocalipsis 17:5).

Jesucristo busca una iglesia pura y sin mancha; cuando nos referimos a iglesia no nos referimos a una religión, sino a todos los que han logrado establecer una relación personal con Dios. Pero hay una iglesia impostora que Dios le llama la gran ramera... la madre de las rameras; esta sí es una religión, una que algún tiempo tuvo una relación con Dios, pero que se prostituyó, dejando de lado lo que le agrada a Dios.

La condenación de la gran ramera

> «Vino entonces uno de los siete ángeles que tenían las siete copas, y habló conmigo diciéndome: Ven acá, y te mostraré

la sentencia contra la gran ramera, la que está sentada sobre muchas aguas; con la cual han fornicado los reyes de la tierra, y los moradores de la tierra se han embriagado con el vino de su fornicación» (Apocalipsis 17:1-2).

La frase «sentada sobre muchas aguas» significa que influye sobre muchos pueblos (países en este caso).

«El ángel me dijo también: Las aguas que viste, sobre las cuales está sentada la prostituta, son pueblos, gentes, lenguas y naciones» [versión DHH] (Apocalipsis 17:15).

«Temed a Dios, y dadle gloria, porque la hora de su juicio ha llegado; y adorad a aquel que hizo el cielo y la tierra, el mar y las fuentes de las aguas. Otro ángel le siguió, diciendo: Ha caído, ha caído Babilonia, la gran ciudad, porque ha hecho beber a todas las naciones del vino del furor de su fornicación. Y el tercer ángel los siguió, diciendo a gran voz: Si alguno adora a la bestia y a su imagen, y recibe la marca en su frente o en su mano» (Apocalipsis 14:7-9).

La gran ramera es un sistema sobre el cual caerá el juicio de Dios. Más adelante explicaremos a detalle quién es esta iglesia.

CAPÍTULO 4

Sodoma y Gomorra

Aprox. 2060 a. C.

«Asimismo como sucedió en los días de Lot; comían, bebían, compraban, vendían, plantaban, edificaban; mas el día en que Lot salió de Sodoma, llovió del cielo fuego y azufre, y los destruyó a todos. Así será el día en que el Hijo del Hombre se manifieste. En aquel día, el que esté en la azotea, y sus bienes en casa, no descienda a tomarlos; y el que en el campo, asimismo no vuelva atrás. Acordaos de la mujer de Lot. Todo el que procure salvar su vida, la perderá; y todo el que la pierda, la salvará. Os digo que en aquella noche estarán dos en una cama; el uno será tomado, y el otro será dejado. Dos mujeres estarán moliendo juntas; la una será tomada, y la otra dejada. Dos estarán en el campo; el uno será tomado, y el otro dejado» (Lucas 17:28-36).

Historia de Sodoma y Gomorra

En Génesis 19:1-26 tenemos la narración de la destrucción de Sodoma y Gomorra. En ella podemos entender que la gente de esos lugares era bastante depravada; ellos estaban en el clímax de la maldad. En el versículo cinco se menciona que acudieron a la casa de Lot (al enterarse de la llegada de los ángeles) y querían tener relaciones sexuales con ellos. La expresión «Sácalos, para que los conozcamos» se refiere a esto.

Dios nos hace una advertencia aquí, nos pone por ejemplo las ciudades de Sodoma y Gomorra y nos dice que fueron destruidas por causa de su pecado. El pecado tiene consecuencias.

«y si condenó por destrucción a las ciudades de Sodoma y de Gomorra, reduciéndolas a ceniza y poniéndolas de ejemplo a los que habían de vivir impíamente y libró al justo Lot, abrumado por la nefanda conducta de los malvados (porque este justo, que moraba entre ellos, afligía cada día su alma justa, viendo y oyendo los hechos inicuos de ellos), sabe el Señor librar de tentación a los piadosos, y reservar a los injustos para ser castigados en el día del juicio» (2 Pedro 2: 6-9).

Perfil de Sodoma y Gomorra

Dios hace una descripción sociológica, económica, agrícola, y política de Sodoma y Gomorra. Eran edificadores, gente rica, un imperio en su tiempo; construían, plantaban, la ciudad estaba en franco desarrollo, estaban en pleno apogeo, en efervescencia, Sodoma era como alguna de las ciudades cosmopolitas de la actualidad.

Es precisamente cuando una sociedad alcanza un alto grado de desarrollo, mayor cultura y una gloria superior, que Dios decide destruirla. ¿Porqué? Porque tal parece que el hombre, entre más desarrolla su intelecto, más inmoral se vuelve. De este modo, en Sodoma y Gomorra la fiesta, la glotonería y la embriaguez eran constantes; este era el diario vivir de estas ciudades: habían confundido la libertad con el libertinaje. La glotonería en combinación con la diversión se había convertido en violencia, y también la homosexualidad estaba de moda.

La sociedad actual ha llegado a aceptar el estilo de vida homosexual; ahora la comunidad LGBT exige sus derechos, y sus demandas se incrementan cada día más. Hoy muchos famosos se declaran homosexuales, los adivinos que hablan por televisión, deportistas, empresarios, etc., e inclusive, hasta algunos gobernantes. Dios siempre ha sido radical en contra de la homosexualidad. Dios creó a Adán y Eva (al hombre y a la mujer), ¡no creó a Adán y Esteban!

«No te echarás con varón como con mujer; es abominación. Ni con ningún animal tendrás ayuntamiento amancillándote con él, ni mujer alguna se pondrá delante de animal para ayuntarse con él; es perversión» (Levítico 18:22-23).

Dios, inspira a Pablo en Romanos 1:21-32 para escribir la razón por la cual la homosexualidad y lesbianismo irán en incremento; también el pasaje manifiesta el tipo de confusión que normalmente tienen los homosexuales con su pecado, ellos dicen: «Si Dios nos hizo así es porque está bien, de lo contario no tuviéramos este sentimiento». Sin embargo, te invito a que leas Romanos 1:21-32 y verás qué es lo que piensa Dios respecto a la homosexualidad.

Dios nos advierte que existen pecados generacionales, es decir, pecados que pueden afectar hasta la tercera o cuarta generación. La homosexualidad es un pecado como el alcoholismo, o como cualquier otro y solamente Dios puede acabar con él y cambiar a las personas que lo practican. Amigos míos, la Biblia tiene autoridad y millones de personas han sido trasformadas. Sólo Dios puede acabar con los pecados generacionales.

> «No te inclinarás a ellas, ni las honrarás; porque yo soy Jehová tu Dios, fuerte, celoso, que visito la maldad de los padres sobre los hijos hasta la tercera y cuarta generación de los que me aborrecen» (Éxodo 20:5).

Acabamos de ver dos razones importantes por las cuales existe la homosexualidad:

⇒ fuimos entregados a pasiones vergonzosas por rebelarnos contra Dios; y,

⇒ los pecados de nuestros bisabuelos, abuelos y nuestros propios padres pudieron afectarnos.

> «No haya ramera de entre las hijas de Israel, ni haya sodomita de entre los hijos de Israel» (Deuteronomio 23:17).

> «¿No sabéis que los injustos no heredarán el reino de Dios? No erréis; ni los fornicarios, ni los idólatras, ni los adúlteros, ni los afeminados, ni los que se echan con varones... heredarán el reino de Dios» (1 Corintios 6:9-10).

La siguiente tabla nos dice como el pecado de la homosexualidad se fue introduciendo en la sociedad.

Grados de inmoralidad

1. Dios reprueba la homosexualidad desde Adán y Eva.
2. Aparece la inmoralidad sexual (se casan y dan en casamiento, orgías).
3. Aparición de la homosexualidad.
4. La sociedad acepta la homosexualidad (p. ej. Sodoma y Gomorra).
5. La inmoralidad se instala en la sociedad
6. No hay noción respecto al grado de inmoralidad.
7. El ser humano es entregado a la perversión (Romanos 1:26).
8. El ser humano vive totalmente en concupiscencia, conforme a los deseos de la carne.
9. Perversión completa (no existe moralidad).
10. Completa distorsión de las reglas como Dios las estableció.

¿El placer tiene límites?

Claro que tiene límites; el problema es que sin Dios y sus principios no queda claro lo que está bien y lo que está mal, por lo tanto, no pueden distinguirse tales límites.

Una persona sin Dios no tiene freno en cuanto a los placeres, sin embargo, por el contrario, una persona con Dios siempre buscará agradarlo y Dios es un Dios de límites.

Los principios de la Biblia son eternos, no se pueden reescribir, no se pueden manipular, no pueden ser acomodados a las épocas o a la vida moderna de los seres humanos. La gente te puede decir anticuado, que la Biblia pone reglas que funcionaron para el siglo I, pero que ya pasó de moda; la gente puede pensar que la Biblia habla de cosas obsoletas. Sin embargo, el carácter de Dios no cambia, sus atributos y pensamiento siempre serán los mismos. Él es justo, misericordioso, santo, perfecto, etc., y Él nunca cambia y nunca cambiará.

El corazón del hombre sólo puede ser cambiado por Dios. Él es el único que puede transformar la vida de las personas. La gente dice: «Una persona siempre será la misma, nunca cambiará», pero amigos, ellos dicen eso porque ¡no han conocido a Dios todavía! ¡Él sí puede cambiar a las personas!

«Jesucristo es el mismo ayer, y hoy, y por los siglos» (Hebreos 13:8).

«Toda buena dádiva y todo don perfecto desciende de lo alto, del Padre de las luces, en el cual no hay mudanza, ni sombra de variación» (Santiago 1:17).

La homosexualidad es un pecado como cualquier otro, y Dios tiene poder para cambiar esta condición (como lo hace al tratarse de cualquier otro tipo de pecado), pero rendirse a Él es una decisión personal, cada uno tiene que decidir por sí mismo someterse a Dios. Por tanto, el problema es que, si no nos sometemos al Señor, es decir, si no nos arrepentimos, estamos condenados.

El poder de Dios no tiene límites, basta con ver su creación, el cuerpo humano, sus capacidades y sentimientos. Dios no es humano para cambiar su forma de pensar, Él es soberano y lo que Él ha establecido no lo puede cambiar el hombre. Por tanto, hay una gran noticia, ¡Dios nos puede trasformar!

Los ángeles

Es necesario mencionar a los ángeles ya que son parte importante de la historia de Sodoma y Gomorra. Los ángeles fueron claves para el propósito que Dios tenía con estas ciudades.

Dios usó a los ángeles para enviar un mensaje, para defender a Lot y para ejecutar el juicio de Dios sobre estas ciudades. Con esta historia real Dios nos muestra el poder que tienen los ángeles, los cuales destruyeron a Sodoma y Gomorra y las hicieron desaparecer del mapa sin dejar un alma viva. Cuando Estados Unidos detonó la bomba atómica en Hiroshima hubo sobrevivientes, pero en el caso de Sodoma y Gomorra no quedó nada. En el relato también podemos ver que los ángeles lucharon contra los sodomitas: una multitud de personas depravadas no pudieron con dos de ellos, los ángeles tuvieron el poder de dejar ciegos a estos hombres; sin embargo, ni aun en esa condición, ellos desistieron de sus intenciones malignas; imagínate el grado de perversidad que existía en sus corazones.

Lot hospedó ángeles con cuerpo humano. Dios nos advierte que, sin saberlo, nosotros mismos podríamos hospedar ángeles, que no nos olvidemos de la hospitalidad.

«No os olvidéis de la hospitalidad, porque por ella algunos, sin saberlo, hospedaron ángeles» (Hebreos 13:2).

Los ángeles están trabajando, inclusive con mayor actividad que los seres humanos. Dios, a través de los ángeles, ejecuta juicios, emite mensajes, equilibra la naturaleza, etc. Los ángeles tienen misiones específicas, hay ángeles de guerra (p. ej., el arcángel Miguel; la Biblia menciona por nombre también a Gabriel, aunque no dice que sea arcángel); los ángeles vinieron por Lázaro después de su muerte en Lucas 16:22

para trasladarlo al cielo; los ángeles están trabajando para Dios al servicio de la humanidad, los ángeles nos cuidan.

Los ángeles constituyen una multitud innumerable; la Biblia dice que los ángeles se cuentan por veintenas de millares de millares.

«Los carros de Dios se cuentan por veintenas de millares de millares; El Señor viene del Sinaí a su santuario» (Salmos 68:17).

Si piensas que estamos solos en este universo estas equivocado, es como pensar que en un edificio de 100 pisos de alto tan sólo viva una pareja en él. Hay una estructura organizacional de ángeles, con jerarquías, todos ellos están muy bien organizados, Dios ha creado todo esto.

Satanás es un ángel que se rebeló y la Biblia dice que se llevó a la tercera parte de los ángeles de Dios con él (Apocalipsis 12:4). La Biblia llama al diablo homicida, porque se lleva las almas al tormento eterno (el infierno), y anda como león rugiente buscando a quién devorar.

«Sed sobrios, y velad; porque el diablo, vuestro adversario anda como león rugiente buscando a quien devorar» (1 Pedro 5:8).

Hermanos y amigos: Dios no vino a contarnos cuentos; lo que está escrito en la Biblia es Palabra de Dios y Dios no es humano para mentir.

Satanás también tiene una estructura de demonios bien organizada porque él es imitador de Dios, no creador... por esta razón la Biblia nos dice:

«Porque no tenemos lucha contra sangre y carne, sino contra principados, contra potestades, contra los gobernadores de las tinieblas de este siglo, contra huestes espirituales de maldad en las regiones celestes» (Efesios 6:12).

Con este versículo Dios nos advierte: dejen de pelear entre ustedes, porque su enemigo real es el diablo y sus demonios. Tenemos un mundo invisible del cual la Biblia nos advierte.

«Porque en él fueron creadas todas las cosas, las que hay en los cielos y las que hay en la tierra, <u>visibles e invisibles;</u> sean tronos, sean dominios, sean principados, sean potestades; todo fue creado por medio de él y para él» (Colosenses 1:16).

La fe de Abraham

Aprox. 2040 a. C.

La fe es creer para ver, no ver para creer

«Por la fe Noé, cuando fue advertido por Dios acerca de cosas que aún no se veían, con temor preparó el arca en que su casa se salvase; y por esa fe condenó al mundo, y fue hecho heredero de la justicia que viene por la fe» (Hebreos 11:7).

«Pero sin fe es imposible agradar a Dios; porque es necesario que el que se acerca a Dios crea que le hay, y que es galardonador de los que le buscan» (Hebreos 11:6).

Hoy en día estamos muy preocupados por agradar a los hombres; constantemente buscamos ser admirados por las personas; queremos el reconocimiento de los que nos rodean y se nos olvida lo más importante, agradar a Dios. Agradar a Dios debe ser nuestra prioridad, pues en esto está la vida eterna.

En el libro de Génesis tenemos el registro del caso de fe más poderoso visto en la historia, el caso de Abraham. Dios hizo esto así, para que aprendiéramos a ser leales a Él y así recibamos sus bendiciones.

Abraham fue probado, salió victorioso y fue bendecido en gran manera. Dios promete lo mismo con nosotros; sin embargo, la pregunta es: ¿seremos capaces de creerle a Dios?

Dios prueba a Abraham

Lee el pasaje de Génesis 22:1-19

El sacrificio de Abraham es tipo del sacrificio de Cristo

Es importante mencionar que veremos el caso de Abraham en Génesis 22 como tipo del sacrificio que Jesucristo hizo en la cruz. Dios nos estaba mostrando una sombra y figura de lo que vendría más de 1,700 años después.

EL MILAGRO

Isaac fue concebido mediante un milagro, ya que Sara (su madre) era de edad avanzada, tenía 90 años y Abraham (su padre) tenía 100 años. Sara era estéril y además —nos dice la Biblia—, ella había dejado de menstruar (Génesis 18:11). De hecho, cuando Sara escuchó que habría de ser madre a su edad, se rio entre sí pensando que era demasiado vieja para tener ese deleite; por eso su hijo es llamado Isaac, que significa *risa*, pero ésta fue una risa de incredulidad, una risa burlona.

Comparativamente, Cristo nació por obra del Espíritu Santo, no hubo una relación sexual de por medio para que María se embarazara. Fue también un milagro.

«Mas Sarai era estéril, y no tenía hijo» (Génesis 11:30).

Sara (el nombre que posteriormente Dios dio a Sarai, esposa de Abraham) era estéril y Abraham de edad muy avanzada.

«Sarai mujer de Abram no le daba hijos; y ella tenía una sierva egipcia, que se llamaba Agar» (Génesis 16:1).

ISAAC ERA LO MÁS PRECIADO PARA ABRAHAM

Abraham ofrecería en sacrificio a su hijo amado, lo más preciado, su único hijo. Dice la Palabra:

«Porque de tal manera amó Dios al mundo, que ha dado a su Hijo unigénito, para que todo aquel que en él cree, no se pierda, mas tenga vida eterna» (Juan 3:16).

Dios muestra su gran amor para con nosotros al enviar a su Hijo al mundo para que muriese por nosotros; por tanto, Juan 3:16 refleja el principal mensaje de Dios en la Biblia: el amor.

EL HOLOCAUSTO

«...y ofrécelo allí en holocausto sobre uno de los montes que yo te diré» (Génesis 22:2).

¿Qué era un holocausto?

«Si su ofrenda fuere holocausto vacuno, macho sin defecto lo ofrecerá; de su voluntad lo ofrecerá a la puerta del tabernáculo de reunión delante de Jehová. Y pondrá su mano sobre la cabeza del holocausto, y será aceptado para expiación suya» (Levítico 1:3-4).

Dios manda a su Hijo a morir por los hombres y lo ofrece en holocausto para que tuviéramos perdón por nuestros pecados.

En el Antiguo Testamento, Dios perdonaba los pecados mediante el sacrificio de animales, y estos animales tenían que tener ciertas características para que fueran agradables a Dios. Estos sacrificios eran figura del sacrificio de Jesucristo en la cruz —el Cordero perfecto— para la redención de los pecados presentes, pasados y futuros del mundo. El sacrificio de Jesús en la cruz eliminó la necesidad de los sacrificios de animales, ya que Él mismo se ofreció en sacrificio, y esto lo hizo una vez para siempre.

«De otra manera le hubiera sido necesario padecer muchas veces desde el principio del mundo; pero ahora, en la consumación de los siglos, se presentó una vez para siempre por el sacrificio de sí mismo para quitar de en medio el pecado» (Hebreos 9:26).

Esta es la razón por la cual Dios no quiere más sacrificios, pues Jesucristo ya lo hizo todo. Cuando las personas hacen sacrificios están demeritando la muerte de Jesús en la cruz. Definitivamente debes buscar agradar a Dios, pero esto sólo es posible entregándole tu vida entera; así que, la Palabra de

Dios nos deja bien claro que los sacrificios o castigos físicos voluntarios no son agradables a Él.

Dios quiere que tengas una relación personal con Él, y que busques agradarlo al obedecer sus mandamientos. Cuando alguien obedece su Palabra y anda en los principios que Él ha establecido, su vida misma se convierte en un sacrificio a Dios agradable y de olor fragante.

TRES DÍAS DE AFLICCIÓN

«Y Abraham se levantó muy de mañana, y enalbardó su asno, y tomó consigo dos siervos suyos, y a Isaac su hijo; y cortó leña para el holocausto, y se levantó, y fue al lugar que Dios le dijo. Al tercer día alzó Abraham sus ojos, y vio el lugar de lejos» (Génesis 22:3-4).

Los tres días que Abraham estuvo en agonía, mientras llegaba al monte Moriah (el monte en donde Dios le ordenó ofrecer a su hijo Isaac) podrían equipararse a los tres días en que Jesús estuvo en la tumba hasta su resurrección. La Biblia nos dice que Jesús estuvo en las partes más bajas de la tierra (el infierno, Efesios 4:9) durante tres días y tres noches (Mateo 12:40). Sin embargo, resucitó al tercer día (Mateo 16:21, 17:23, 1 Corintios 15:4, etc.). Así también Abraham recibió en resurrección a su hijo (en sentido figurado, Hebreos 11:19).

Fueron tres días en que Abraham iba pensando que su hijo moriría, un recorrido de 75 km. De la misma manera, Jesús estuvo tres días en la tumba, tiempo en que Dios el Padre pensaba en lo que pasaría con su amado Hijo.

Seguramente Abraham pensaba en la muerte de su hijo durante esos días, y esto, desde luego, le traería una tremenda agonía. Esto nos lleva a pensar que para Dios los tres días en que su Hijo Jesús estuvo en la tumba no serían fáciles.

OBSERVÓ EL LUGAR DE LEJOS

«Entonces dijo Abraham a sus siervos: esperad aquí con el asno, y yo y el muchacho iremos hasta allí y adoraremos y volveremos a vosotros» (Génesis 22:5).

Abraham e Isaac veían el monte Moriah a lo lejos; así también Jesús, en su recorrido, veía a lo lejos el Gólgota, lugar donde iba a ser crucificado. En los dos casos veían de lejos el lugar donde serían sacrificados.

CARGARON LOS MADEROS

«Y tomó Abraham la leña del holocausto, y la puso sobre Isaac su hijo, y él tomó en su mano el fuego y el cuchillo; y fueron ambos juntos» (Génesis 22:6).

Tal y como lo hizo Isaac con los leños que servirían para su propio sacrificio, Jesús cargó el madero que sería usado para su crucifixión hasta la cima del Gólgota.

NO OPUSIERON RESISTENCIA

«Entonces habló Isaac a Abraham su padre, y dijo: Padre mío. Y él respondió: Heme aquí, mi hijo. Y él dijo: He aquí el fuego y la leña; mas ¿dónde está el cordero para el holocausto? Y respondió Abraham: Dios se proveerá de cordero para el holocausto, hijo mío. E iban juntos. Y cuando llegaron al lugar que Dios le había dicho, edificó allí Abraham un altar, y compuso la leña, y ató a Isaac su hijo, y lo puso en el altar sobre la leña» (Génesis 22:7-9).

La Biblia no da datos exactos sobre la edad de Isaac, pero se puede inferir que en Génesis 22, él tendría aproximadamente veinte años. Sara lo dio a luz cuando tenía noventa años (Génesis 17:17); ella debió haber tenido de noventa y dos a noventa y cinco años cuando Isaac fue destetado y murió a los 127 años (Génesis 23:1), cuando Isaac tenía treinta y

siete años. A Isaac se le dio el trabajo de cargar la leña, madera suficiente para consumir en el fuego a un cuerpo humano
entero. ¿Podría un niño llevar tal cantidad de leña?

Por lo cual, es lógico pensar que Isaac era un joven y no
un niño cuando Abraham le iba a ofrecer en sacrificio. Por
otro lado, Isaac fácilmente pudo haber escapado. Dada la
fuerza de un joven de veinte años (p.ej.), hubiera podido ganar fácilmente una pelea con su Padre. Pudo simplemente
oponerse, decir a su padre que no aceptaba tal holocausto;
pudo haber dicho a Abraham que no estaba de acuerdo con
lo que Dios había ordenado, o simplemente dar este hecho
como una locura de su padre. No obstante, él obedeció; Isaac
mostró un nivel de obediencia que es imposible alcanzar en
la actualidad.

Dios ordenó a su hijo Jesucristo morir en la cruz por la
humanidad y Él aceptó sin oponer resistencia; lo hizo por
amor, sabiendo de ante mano la muerte tan cruel que tendría. Así también Isaac acató la orden de su padre y no opuso resistencia. ¡Él fue colocado sobre la leña que él mismo
cargó para ser sacrificado! ¡Qué tremendo escenario! No hay
película que pudiera plasmar lo que Abraham vivió en esos
momentos de fe sin precedentes.

Dios, antes de que su Hijo Jesucristo viniera a la tierra,
usó hombres para dar a conocer a la humanidad su carácter
y naturaleza. Él nos mostró que nuestra vida es valiosa y Jesús pagó el precio con su propia sangre, ¡un costo muy alto!
A fin de que nosotros pudiéramos obtener salvación. Asimismo, estos personajes del Antiguo Testamento, hombres que
Dios usó —como Abraham e Isaac—, pasaron por situaciones muy duras para que nosotros pudiéramos entender el
plan que Dios tenía, y a ellos debemos un gran respeto.

LA RESURRECCIÓN

«Y extendió Abraham su mano y tomó el cuchillo para dego-
llar a su hijo. Entonces el Ángel de Jehová le dio voces del
cielo, y dijo: Abraham, Abraham. Y él respondió: Heme aquí.
Y dijo: no extiendas tu mano sobre el muchacho, ni le hagas
nada; porque ya conozco que temes a Dios, por cuanto no
me rehusaste tu hijo, tu único. Entonces alzó Abraham sus
ojos y miró, y he aquí a sus espaldas un carnero trabado en
un zarzal por sus cuernos; y fue Abraham y tomó el carnero,
y lo ofreció en holocausto en lugar de su hijo» (Génesis
22:10-13).

Abraham tuvo tres días de continuo sufrimiento pensando
que su hijo, su único hijo, moriría. Inclusive, para Abraham,
ya su hijo había muerto; por eso, cuando Dios le impidió que
lo matara, fue para él como estar recibiendo a un Isaac resucitado: «pensando que Dios es poderoso para levantar aun de
entre los muertos, de donde, en sentido figurado, también le
volvió a recibir» (Hebreos 11:19). Para Abraham, su hijo había resucitado y en el camino de regreso hasta su casa volvió
con el mayor de los entusiasmos: había ya dado por muerto a
su hijo y ahora lo estaba recibiendo de nuevo.

PRUEBA SUPERADA

Jesús pudo haber pedido a su Padre que mandara una legión
de ángeles para destruir a todos sus enemigos, y Abraham
pudo haber desobedecido y dicho que *no* al sacrificio de su
hijo, pero ambos cumplieron a la perfección con el Plan que
Dios les trazó.

Tal fue el entusiasmo de los discípulos al ver a Jesús resucitado, que con una gran **determinación** promovieron el
evangelio —arriesgando sus vidas— para que el mundo su-
piera que tenemos vida eterna en Cristo Jesús.

Si Cristo no hubiera resucitado, si no tuviéramos esa seguridad, nada de lo que está escrito en la Biblia tuviera sentido; todo sería simplemente una historia. **Por su resurrección,** nos apropiamos de sus promesas. Si crees que Jesucristo resucitó, entonces conoces a Dios, quien es el principio y fin de todo. Es por eso que no debemos vivir preocupados por lo que los demás piensen de nosotros, sino más bien, nuestro interés debe enfocarse en lo que Dios dice de nosotros. Esta es la verdadera sabiduría.

El primer discípulo en morir fue Judas (ahorcado). La tradición dice que Pablo y Santiago murieron decapitados. Santiago el menor fue lanzado desde el pináculo del templo de Jerusalén, y al quedar vivo, un soldado le aplastó la cabeza; Felipe apedreado. La tradición dice que Simón murió cortado por la mitad con una sierra; que Tadeo murió a garrotazos; Pedro crucificado; Mateo fue pasado a espada. Respecto a Tomás, se cree que murió atravesado por una lanza.

A Juan, el único que sobrevivió, lo hirvieron en aceite y al ver que milagrosamente quedaba intacto, el emperador Domiciano le condenó al destierro en la isla de Patmos. Fue ahí donde escribió el Apocalipsis, y se cree que murió allí a los 103 años de edad.

«Y conoceréis la verdad, y la verdad os hará libres» (Juan 8:32).

«Yo soy el camino, y la verdad, y la vida; nadie viene al Padre, si no por mí» (Juan 14:6).

BENDICIONES

«De cierto te bendeciré, y multiplicaré tu descendencia como las estrellas del cielo y como la arena que está a la orilla del mar; y tu descendencia poseerá las puertas de sus enemigos.

En tu simiente serán benditas todas las naciones de la tierra, por cuanto obedeciste a mi voz» (Génesis 22:17-18).

«Y Jesús se acercó y les habló diciendo: Toda potestad me es dada en el cielo y en la tierra» (Mateo 28:18).

Abraham e Isaac fueron bendecidos grandemente por Dios, y el mismo Jesucristo fue bendecido en gran manera.

«Porque en él fueron creadas todas las cosas, las que hay en los cielos y las que hay en la tierra, visibles e invisibles; sean tronos, sean dominios, sean principados, sean potestades; todo fue creado por medio de él y para él» (Colosenses 1:16).

A Jesucristo se le dio la potestad de todo lo creado por obedecer a su Padre.

Crucifixión de Jesucristo

Aprox. 30 d.C.

El acto de amor más grande

El acto de amor más grande de todos los tiempos tiene lugar en el mundo.

«Porque de tal manera amó Dios al mundo, que ha dado a su Hijo unigénito, para que todo aquel que en él cree, no se pierda, mas tenga vida eterna» (Juan 3:16).

Dios, manifestado en carne, muere de una forma cruel y aterradora, para que nosotros tuviésemos la oportunidad de salvar nuestra alma.

Lo que Cristo Jesús hizo por ti y por mí en la cruz es tan grande, que nunca con nada lo podríamos pagar; tan sólo nos queda corresponder a su amor, un amor inmerecido e inefable, es decir, es imposible describirlo con palabras.

«El cual, siendo en forma de Dios, no estimó el ser igual a Dios como cosa a que aferrarse, sino que se despojó a sí mismo, tomando forma de siervo, hecho semejante a los hombres; y estando en la condición de hombre, se humilló a sí mismo, haciéndose obediente hasta la muerte, y muerte de cruz. Por lo cual Dios también le exaltó hasta lo sumo, y le dio un nombre que es sobre todo nombre, para que en el nombre de Jesús se doble toda rodilla de los que están en los cielos, y en la tierra, y debajo de la tierra; y toda lengua confiese que Jesucristo es el Señor, para gloria de Dios Padre» (Filipenses 2:6-11).

¿Cuál es nuestra condición ante Dios sin Cristo?

«Por cuanto todos pecaron, y están destituidos de la gloria de Dios» (Romanos 3:23).

«Porque la paga del pecado es muerte, mas la dádiva de Dios es vida eterna en Cristo Jesús Señor nuestro» (Romanos 6:23).

El propósito de la cruz

Sin la muerte de Jesús en la cruz por nuestros pecados, ninguno tendría vida eterna. Jesús mismo dijo: «Yo soy el camino, y la verdad, y la vida; nadie viene al Padre sino por mí» (Juan 14:6). En esta declaración, Jesús expone la razón de su nacimiento, muerte y resurrección: proveer el camino al cielo para una humanidad pecadora quien jamás podría llegar allí por sus propios medios.

Dios declaró que todos los que pecan mueren, tanto física como espiritualmente. Este es el destino de toda la humanidad. Pero Dios, en su gracia y misericordia, proveyó una salida para esta condición derramando la sangre de su perfecto Hijo en la cruz. Dios declaró que «sin derramamiento de sangre no es posible la remisión de los pecados».

«Y casi todo es purificado, según la ley, con sangre; y sin derramamiento de sangre no se hace remisión» (Hebreos 9:22).

El perdón de pecados es efectuado mediante del derramamiento de sangre. La ley de Moisés, en el Antiguo Testamento, proveía una forma para que las personas fueran consideradas «sin pecado» o «justas» a los ojos de Dios: la ofrenda de animales sacrificados por el pecado. Estos sacrificios fueron sólo temporales, aunque, realmente eran una prefiguración de lo perfecto, del sacrificio de Cristo en la cruz, hecho una vez para siempre.

Esta fue la razón por la que Jesús vino y por aquello que Él murió: para convertirse en el último y final sacrificio, el sacrificio perfecto por nuestros pecados. La promesa de la vida eterna con Dios se vuelve efectiva a través de la fe, es decir, es otorgada a aquellos que creen en Jesús. Estas dos palabras, «fe» y «creer» son cruciales para nuestra salvación; ya que es indispensable creer que la sangre de Cristo, derramada en la cruz, es suficiente para lavar nuestros pecados, y recibir el regalo de la vida eterna.

En muchos casos, las personas, por desconocer la Palabra de Dios, se confunden y buscan la salvación por otros caminos; ellos no alcanzan a entender que la salvación es un regalo, es por gracia.

Somos salvos por gracia

«Porque por gracia sois salvos por medio de la fe; y esto no de vosotros, pues es don de Dios; no por obras, para que nadie se gloríe» (Efesios 2:8-9).

Este versículo nos da una gran enseñanza. No significa que, si al final de nuestra vida, la cantidad de obras buenas que hicimos supera a la de las obras malas, entonces tenemos ganado el cielo; más bien la salvación viene por **fe**, y es por gracia.

Para ejemplificar este concepto —el de la gracia que tenemos en Cristo— observa bien la siguiente historia: había una persona que tenía problemas económicos y no tenía dinero suficiente ni para los gastos básicos. Una mañana se levantó con el ánimo de pedir trabajo y conseguir algo de dinero; tomó su auto, y al ir manejando hacia su destino, comente una infracción de tránsito; lo detiene un policía y él —angustiado— le platica a la autoridad la situación por la que está pasando. El policía le dice: «Amigo, no puedo dejar de multarlo, yo tengo que cumplir la ley». Al decir esto, le da la nota del importe de la multa en un sobre y se va.

Al llegar este hombre a su casa, le pregunta su mujer cómo le había ido. Él entonces le comenta que mal; que no consiguió trabajo, y que para colmo de males, tiene que pagar la multa que un policía le dio. Su esposa entonces le pide que le muestre el monto de la multa. Así, el hombre saca el sobre que el policía le había dado y cuando lo abre, se quedó sorprendido: junto con la nota, estaba una cantidad de dinero, suficiente para pagar la multa, e inclusive, este dinero sería suficiente para cubrir algunas otras de sus necesidades.

Aquí, el policía cumplió con la ley, pagó la multa y le dio a aquel hombre necesitado algo de dinero adicional.

Jesucristo hizo lo mismo con la humanidad; pagó una deuda que no era de Él. Él tuvo que cumplir con la ley, derramó su sangre, fue llevado al matadero, no opuso resistencia y lo hizo por ti y por mí. ¿Por qué? porque la paga del pecado es muerte; y además, nos dio la posibilidad de llegar con Él al cielo y tener vida eterna.

Un favor inmerecido

Cuando comprendemos lo que Jesucristo hizo, no nos queda más que amar a Dios con todas nuestras fuerzas, con toda nuestra alma y con toda nuestra mente.

Aquí tienes la razón y el motivo por lo cual escribo este libro: Porque Dios me salvó, a mí y a mi familia. Yo tengo una inmensa gratitud en mi corazón. Sin embargo, es tanto mi agradecimiento, que jamás encontraré la manera de pagar a Dios todo lo que Él ha hecho por nosotros.

Ser salvo significa ser constituido en un hijo de Dios y permanecer en la gracia que Él nos ha otorgado en Cristo Jesús.
El concepto generalizado en la sociedad es que todos son hijos de Dios; sin embargo, la Biblia nos dice que únicamente
los que creen en Jesús y le hacen el Señor de su vida, son
constituidos en hijos de Dios.

No todos somos hijos de Dios

«Más a todos los que le recibieron, <u>a los que creen en su
nombre, les dio potestad de ser hechos hijos de
Dios</u>» (Juan 1:12).

No todos son hijos de Dios —Juan nos lo dice claramente—, sino solamente los que creen y reciben a Jesucristo como
su Señor y Salvador; tan sólo a ellos, Dios les da la potestad
de ser sus hijos.

Recibe a Cristo hoy

«He aquí, yo estoy a la puerta y llamo; si alguno oye mi voz y
abre la puerta, entraré a él, y cenaré con él, y él conmigo» (Apocalipsis 3:20).

Juan describe en Apocalipsis que debemos recibir a Cristo
conscientemente. Cuando te bautizan de bebé o cuando das
este paso en la niñez (sin entender lo que estás haciendo), no
recibes a Cristo, porque no eres tú quien está tomando realmente la decisión; más bien son tus padres o las circunstancias. La salvación es personal; no estoy diciendo que el bauti-
zo en sí este mal, ni hablaremos sobre este punto ahora, pero
recibir a Cristo significa que tú decides, en pleno uso de tus
facultades, colocarte voluntariamente bajo la autoridad del
Señor Jesús y no por una imposición.

Debes aceptar y reconocer que hay un solo Dios, quien es el camino, la verdad y la vida. Debes dejar que ese Dios Todopoderoso entre a tu corazón para que Él tome el mando en ti y así, desde ese momento, Él sea el centro de tu vida.

Actualmente el centro de tu vida puede ser tu trabajo, el deporte, el dinero, tus amigos, el poder, el reconocimiento de los hombres, tu casa, tus posesiones, tu negocio, la empresa en la que trabajas, tu cuerpo (vanidad), inclusive tu familia ¿y Dios? Dios no está en contra de todo esto, pero hay un orden que Él ha establecido.

Dios no nos creó para que nos acordemos de Él de vez en cuando. La Biblia nunca habla de un Dios lejano que deba buscarse tan sólo cuando lo necesites. Dios nos creó para que glorifiquemos su Nombre y le demos honra. ¿Crees que Dios se agrada de ti, por el sólo hecho de que eres millonario, o por ser famoso, o porque te portas bien con tu familia, o porque eres admirado de quienes te rodean? No. Dios va más allá. A Él no le impresiona nada de lo que tú seas o tengas, Él tan sólo te ve como un alma que necesita salvación, como un pecador que sin Cristo está condenado. Las almas son el tesoro de Jesucristo, y los que amen a Dios serán dignos de ir a las bodas del Cordero, cuando Jesucristo venga por su iglesia.

Dios no tiene planes de calamidad para sus hijos y nos quiere bendecir, pero a través de la obediencia a sus principios.

«Mas buscad primeramente el reino de Dios y su justicia, y todas estas cosas os serán añadidas» (Mateo 6:33).

Oración para recibir a Cristo

Para recibir a Jesucristo como tú Señor y Salvador personal es necesario hacer una oración de todo corazón que diga algo como lo siguiente:

Padre Santo: gracias por tu amor; reconozco que soy pecador y que te necesito; creo de todo corazón que tu Hijo Jesús murió en la cruz por mis pecados y que resucitó al tercer día y está sentado a tu diestra para siempre y que ahora aboga por mí. Te pido perdón por todos mis pecados, decido perdonar a los que me han ofendido y te recibo como el Señor de mi vida. Entra a mi vida para que tú seas el centro de ella. Ahora mismo recibo a Jesucristo como mi Señor y Salvador personal. Amén.

Tal vez no dimensiones la decisión que acabas de tomar, pero este paso es el paso más importante de tu vida, pues es el paso a la vida eterna.

Si has hecho esta oración con toda sinceridad, ahora eres una nueva criatura:

«De modo que si alguno está en Cristo, nueva criatura es; las cosas viejas pasaron; he aquí todas son hechas nuevas» (2 corintios 5:17).

«Si confesares con tu boca que Jesús es el Señor, y creyeres en tu corazón que Dios le levantó de los muertos, serás salvo» (Romanos 10:9).

«Y él os dio vida a vosotros, cuando estabais muertos en vuestros delitos y pecados» (Efesios 2:1).

«El que en él cree, no es condenado; pero el que no cree, ya ha sido condenado, porque no ha creído en el nombre del unigénito Hijo de Dios» (Juan 3:18).

La mayoría de las personas creen en Dios a su manera, pero *creer* significa conocerlo y para conocerlo necesitas ir al único documento fidedigno y autorizado por Dios para ello: la Biblia.

Los demonios y Satanás creen en Dios, pero eso no los hace salvos; la diferencia es que los hijos de Dios aman a Dios y obedecen sus mandamientos.

«El que tiene mis mandamientos, y los guarda, ése es el que me ama; y el que me ama será amado por mi Padre, y yo le amaré, y me manifestare en él» (Juan 14:21).

«El que me ama, mi palabra guardará; y mi Padre le amará y vendremos a él, y haremos morada con él» (Juan 14:23).

«Y el amarle con todo el corazón, con todo el entendimiento, con toda el alma, y con todas las fuerzas, y amar al prójimo como a uno mismo, es más que todos los holocaustos y sacrificios» (Marcos 12:33).

«Y él os dio vida a vosotros, cuando estabais muertos en vuestros delitos y pecados, en los cuales anduvisteis en otro tiempo, siguiendo la corriente de este mundo, conforme al príncipe de la potestad del aire, el espíritu que ahora opera en los hijos de desobediencia, entre los cuales también todos nosotros vivimos en otro tiempo en los deseos de nuestra carne, haciendo la voluntad de la carne y de los pensamientos, y éramos por naturaleza hijos de ira, lo mismo que los demás.

Pero Dios, que es rico en misericordia, por su gran amor con que nos amó, aun estando nosotros muertos en pecados, nos dio vida juntamente con Cristo (por gracia sois salvos)» (Efesios 2:1-5).

Es importante alertar que en la actualidad tenemos muchos falsos profetas. La Biblia nos advierte de ellos y de sus intenciones; por ello, debemos tener mucho cuidado con quien nos está «ayudando» a conocer a Dios [o a dios]; porque tal vez, este dios no sea el Dios de la Biblia, y ¿cómo vas a amar a Dios si no lo conoces? Como ya lo he mencionado, el evangelio no ha cambiado, los hombres han modificado el evangelio, pero el evangelio expresado en la Biblia es el mismo.

«Mirad que nadie os engañe por medio de filosofías y huecas sutilezas, según las tradiciones de los hombres, conforme a los rudimentos del mundo, y no según Cristo»
(Colosenses 2:8).

El carácter de Cristo

Recordemos que en un principio hablamos que el propósito
de la Biblia es desarrollar el carácter de Dios en nosotros.
Ahora, describiremos y analizaremos el carácter de Jesucristo
cuando estuvo en la tierra con nosotros.

Del carácter de las personas depende el éxito en cualquier
cosa que desean emprender. Una persona exitosa siempre es
poseedora de un carácter fuerte y desarrollado. La formación
del carácter en los hombres comienza desde la niñez; un carácter débil difícilmente sale adelante por sí solo, es decir, le
es difícil resolver sus propios problemas.

El propósito principal de la Biblia, la Palabra de Dios, es
desarrollar el carácter de Jesucristo en nosotros. Si las personas tuvieran esta visión, su vida sería exitosa en lo natural y
en lo espiritual. En las cosas terrenales y en las celestiales.

A través de la historia han surgido muchos héroes y líderes; buenos y malos; ficticios y verdaderos; y al observarlos,
creamos prototipos, les hacemos modelos para nosotros mismos. O tal vez queremos ser como gente que conocemos: parientes que han alcanzado ciertos logros, u otros que se han
convertido en grandes empresarios en nuestra comunidad.

No obstante, Cristo tiene el carácter perfecto para el ser
humano. Tan sólo basta con dar una mirada más de cerca a
los detalles mencionados en la Biblia y nos daremos cuenta
del extraordinario carácter del Señor Jesús. Veamos.

Observa bien lo que nos dice Pablo en el libro de los Filipenses.

«Haya, pues, en vosotros este sentir que hubo también en Cristo Jesús» (Filipenses 2:5).

La actitud que tuvo Cristo en su estancia en la tierra es ejemplo para nuestras vidas. En lo particular, no tengo como modelo perfecto a ningún hombre fuera de Jesucristo, él es el Hombre modelo. Con su personalidad y su carácter perfecto tú puedes alcanzar cualquier propósito que te propongas en la vida.

Luego de Jesús, a las segundas personas que más admiro son los siervos de Dios que lo adoran en espíritu y en verdad, y que dedican su vida a promover el evangelio con sana doctrina y a advertir a las personas para que no vayan a la condenación; que les exhortan a que se preocupen por su alma. Estos son hombres ricos, pero no a la manera del mundo, si no ricos para con Dios.

«No hagáis tesoros en la tierra, donde la polilla y el orín corrompen, y donde ladrones minan y hurtan; sino haceos tesoros en el cielo, donde ni la polilla ni el orín corrompen, y donde ladrones no minan ni hurtan» (Mateo 6:19-20).

Características de la personalidad de Jesucristo

VALENTÍA

Jesucristo, en su conocimiento anticipado de las cosas, sabía desde un principio lo que padecería en la tierra; sabía a detalle cómo moriría, y tuvo el suficiente tiempo para abortar su misión, pero no lo hizo, Él siguió adelante valientemente, e incluso al acercarse el tiempo de su muerte, siguió firme en su postura. Los niveles o estándares promedio de los seres humanos no se acercan al nivel de valentía de Jesucristo.

Jesucristo también mostró una gran valentía durante su ministerio. Durante los tres años de su ministerio, Él capacitó a sus discípulos, predicó el evangelio en diferentes lugares (en las aldeas o ciudades que visitaban). Allí ellos podían ser agredidos fuertemente y aun así no desistieron, y más aún, cuando entraron a Jerusalén donde Jesús sería sacrificado.

DETERMINACIÓN

Jesucristo tenía un propósito y una meta definida. Para explicar este punto, nos apoyaremos en la Palabra de Dios.

Jesucristo les contaba a sus discípulos lo que le pasaría, y ante esto, veamos lo que pasó:

«Entonces Pedro, tomándolo aparte, comenzó a reconvenirle, diciendo: Señor, ten compasión de ti; en ninguna manera esto te acontezca. Pero él, volviéndose, dijo a Pedro: ¡Quítate de delante de mí, Satanás!; me eres tropiezo, porque no pones la mira en las cosas de Dios, sino en las de los hombres» (Mateo 16:22-23).

En los tiempos actuales, en nuestra vida cotidiana, vemos a menudo que se entorpecen nuestros planes porque cambiamos de opinión o decimos: «Este camino es más fácil»; o como en el caso de Jesucristo y Pedro, un amigo nos recomienda otra cosa y empezamos a negociar y accedemos, pero, ¿qué hizo Cristo? No dio lugar a nada, Él pensó: «Esto no aporta a mi propósito» y determinado dijo: «Apártate Satanás». Eso explica la determinación que tenía Jesucristo.

Cuántas veces nosotros negociamos con el pecado, si tuviéramos la determinación de Jesucristo no daríamos lugar al diablo.

«Airaos, pero no pequéis; no se ponga el sol sobre vuestro enojo, ni deis lugar al diablo» (Efesios 4:26-27).

Jesucristo mostró esta determinación durante todo su ministerio hasta que padeció la muerte.

Otra situación tuvo lugar cuando Jesús fue tentado en el desierto; allí, sus contestaciones a Satanás siempre fueron contundentes y sin dar lugar a continuar una conversación.

Si nosotros logramos este nivel de determinación al ser tentados por Satanás, Satanás nunca nos molestaría.

Instala una visión o meta en tu vida e imita la determinación de Jesucristo, así podrás hacer de esa meta una realidad.

TEMPLE

El ser humano bajo condiciones normales de entorno, no muestra su verdadero yo; a esto se le llama —en los términos usados por la psicología— proyección. Es decir, la persona proyecta algo que no es realmente.

Pero ¿qué pasa cuando esta misma persona se encuentra en un ambiente de presión? Entonces surge su verdadero yo, ya no se está proyectando, es su verdadero carácter lo que muestra.

Veamos ahora un ejemplo práctico explicado con un jugador de futbol. Hay jugadores de futbol que son muy buenos cuando juegan en un equipo cuyo estadio normalmente está vacío; pero luego, cuando es contratado por un equipo en donde el estadio siempre está lleno, (y además, es acosado por la prensa, quien está más pendiente a lo que hace), entonces baja su desempeño. El mismo jugador que antes era bueno ahora no lo es tanto en un ambiente distinto, no puede lidiar con la presión.

Si queremos conocer a una persona más a profundidad introduce presión y conocerás su verdadero carácter.

Jesucristo estuvo en muchas ocasiones bajo presión y Él conservó la calma: su carácter no cambió; Él es santo, puro, perfecto, misericordioso; Él, nunca cambió y nunca cambiará.

Santiago, el hermano del Señor, dijo que en Dios no hay sombra de variación.

«Toda buena dádiva y todo don perfecto desciende de lo alto, del Padre de las luces, en el cual no hay mudanza, ni sombra de variación» (Santiago 1:17).

En todo el proceso de la crucifixión de Jesucristo, de principio a fin, Él no maldijo a nadie. Más bien, a todos veía directamente a los ojos: a las personas que lo ayudaban, y a las personas que lo golpeaban; a todos los veía con compasión.

¡Quién como Él! En respuesta a todas las terribles agresiones que sus enemigos le lanzaron, Él oró: «Padre, perdónalos, porque no saben lo que hacen». ¡Jesucristo es extraordinario!

RESPONSABILIDAD

Podemos imaginar al Padre diciendo a su Hijo: «Vas a ir al mundo, vivirás ahí treinta y tres años, les enseñarás mis mandatos, morirás por sus pecados y luego resucitarás y serás enaltecido».

Hoy algunos padres les piden a sus hijos que hagan alguna cosa pequeña, y ellos responden con argumentos, y con mucha probabilidad no obedecerán.

Jesucristo fue obediente, y aceptó su responsabilidad sin negociaciones de por medio. Por su carácter sumiso, responsable; por su obediencia sin condiciones ni vacilaciones finalmente Él fue bendecido y glorificado. Isaac, hijo de Abraham tampoco opuso resistencia cuando supo que sería sacrificado. Obedecer lo que tu padre te ordena cuando está de por medio tu vida, es un nivel muy alto de responsabilidad, es algo que está encima del promedio de los hombres en la tierra.

Dios se expresó de su Hijo, como a cualquier hijo en la tierra le gustaría que su padre se expresara de él o ella. Este es un ejemplo para todos nosotros confirmado en la Palabra de Dios.

«Y Jesús, después que fue bautizado, subió luego del agua; y he aquí los cielos le fueron abiertos, y vio al Espíritu de Dios que descendía como paloma, y venía sobre él. Y hubo una voz de los cielos, que decía: Este es mi Hijo amado, en quien tengo complacencia» (Mateo 3:16-17).

INTELIGENCIA

Jesucristo, desde su niñez, denotó una prodigiosa inteligencia. La Biblia habla de su niñez solo en una ocasión (lee Lucas 2:42-52).

En el pasaje de Lucas Jesús, siendo un niño, utilizó la estrategia de preguntarles primero para así poder enseñarles; Él aprovechaba las respuestas de los doctores de la ley para corregirlos.

Años después, ya adulto, mientras Jesucristo ejercía su ministerio, los fariseos siempre quisieron meterlo en dificultades, haciéndole preguntas difíciles con intenciones ocultas. Sus preguntas eran trampas que tenían el propósito de desprestigiarlo. Por ejemplo, en el caso mencionado en Mateo 22:15-22, los fariseos le hicieron una pregunta compleja respecto a los impuestos; sin embargo, vemos la sabia respuesta del Señor, «Dad a Cesar lo que es de Cesar y a Dios lo que es de Dios».

En otra ocasión, Jesús tuvo que volver a calmar al grupo de escribas y fariseos alebrestados, quienes lo tentaron con el caso de una mujer adúltera (narrado en Juan 8:3-11). Ahí también Jesús les responde con una inteligencia sorprendente: «El que de vosotros esté sin pecado sea el primero en arrojar la piedra contra ella» (v. 7).

En nuestra vida tenemos que resolver situaciones complejas, y depende de cómo las manejemos, —de las palabras, las actitudes y decisiones que tomemos en el momento— que podremos o no salir adelante. Para cada caso, la sabiduría de Jesucristo era admirable.

«Con Dios está la sabiduría y el poder; Suyo es el consejo y la inteligencia» (Job 12:13).

«De tus mandamientos he adquirido inteligencia; Por tanto, he aborrecido todo camino de mentira» (Salmos 119:104).

«Porque Jehová da la sabiduría, Y de su boca viene el conocimiento y la inteligencia» (Proverbios 2:6).

«Y si alguno de vosotros tiene <u>falta de sabiduría</u>, pídala a Dios, el cual da a todos abundantemente y sin reproche, y le será dada» (Santiago 1:5).

Los fariseos no reconocían a Jesús como el Mesías; sin embargo, Jesús demostró muchas veces que todas las profecías respecto al Mesías fueron cumplidas en Él. Veamos un ejemplo:

En el Antiguo Testamento dice del Mesías:

«Alégrate mucho, hija de Sion; da voces de júbilo, hija de Jerusalén; <u>he aquí tu rey vendrá a ti</u>, justo y salvador, humilde, y <u>cabalgando sobre un asno</u>, sobre un pollino hijo de asna» (Zacarías 9:9).

¡Impresionante! ¡Esta profecía fue cumplida puntualmente! (Lee Mateo 21:1-5) El profeta Zacarías escribió — inspirado por el Espíritu Santo— el libro que lleva su nombre en el año 520 a. C. Esto no está a discusión, puesto que hay documentos que respaldan las fechas cuando se escribieron todos los libros de la Biblia. Y esto es realmente maravilloso: 553 años después, Jesucristo entra en un pollino a Jerusalén.

Estas son las evidencias de las que hablo: la Biblia es una unidad, que aun escribiéndose en un periodo de 1,600 años, su mensaje no fue distorsionado y las profecías que se encuentran en ella tienen cumplimiento.

FORTALEZA

Jesucristo cargó una cruz que pesaba cerca de 100 kg. Realizó un recorrido de un kilómetro en ascenso, que aunque no pareciera tanto, debemos recordar que en ese instante Jesús tenía mucho tiempo sin comer ni beber; estaba golpeado, maltratado (tanto física como psicológicamente), y había perdido mucha sangre. A cualquier ser humano le sería imposible soportar consciente el proceso de crucifixión. Mientras tanto, la mente romana estaba cauterizada ante el dolor humano y el nivel de castigo para Cristo no tenía limite; cualquier película de Hollywood jamás alcanzaría a describir el sadismo que tuvieron los romanos con Jesucristo.

El deportista con mayor resistencia en la actualidad no soportaría el castigo que sufrió Jesucristo.

Personalmente, en cierta etapa de mi vida, tuve que pasar por una prueba física; ésta era un requisito para ser considerado en un empleo. La prueba física duró aproximadamente tres horas y media; empezamos alrededor de treinta personas y terminamos dos luego, la persona que había quedado conmigo quedó descartada debido al siguiente filtro de exámenes. Esta prueba física consistió en una diversidad de ejercicios y maltrato verbal para evaluar el carácter personal. Yo creo que esta prueba no es ni la sombra de todo lo que Jesucristo padeció en la cruz: su fortaleza no tiene explicación, cualquier deportista en el mundo actual envidiaría tal fortaleza. Dios en su Palabra nos dice lo siguiente:

> «Desecha las fábulas profanas y de viejas. Ejercítate para la piedad; porque el ejercicio corporal para poco es provechoso, pero la piedad para todo aprovecha, pues tiene promesa de esta vida presente, y de la venidera» (1 Timoteo 4:7-8).

HUMILDAD

La humildad es una virtud que Dios establece como requisito para ser exaltado. No obstante, las sociedades en la tierra carecen de gente humilde; el sistema del mundo no da cabida a la humildad, ni le da importancia.

> «Nada hagáis por contienda o por vanagloria; antes bien con humildad, estimando cada uno a los demás como superiores a él mismo» (Filipenses 2:3).

> «Riquezas, honra y vida Son la remuneración de la humildad y del temor de Jehová» (Proverbios 22:4).

Jesucristo pudo haber llamado a su ejército de ángeles todas las veces que lo incomodaron; pudo usar su poder (a fin de demostrar a los hombres su deidad), pero no lo hizo; «se despojó de su gloria», dice el texto bíblico. Jesús actuó en el poder del Espíritu Santo y con éste, sanó toda enfermedad, alimentó las multitudes, calmó las tempestades, sacó fuera demonios, y todo con el único fin y propósito de lograr la salvación de nuestras almas.

Actualmente en el mundo laboral, p.ej., es difícil ser humilde. La mayoría no respeta jerarquías, y busca los caminos más cortos para ascender o para simplemente seguir conservando su empleo, pero ¿creen que para Jesucristo fue fácil ser humilde? Él tomó un cuerpo de hombre y sintió como hombre, como cualquiera de nosotros. Sin embargo, la humildad fue cualidad fundamental del Señor.

«Luego puso agua en un lebrillo, y comenzó a lavar los pies de los discípulos, y a enjugarlos con la toalla con que estaba ceñido» (Juan 13:5).

Imagino un empresario exitoso comiendo con un obrero en su casa, sin ninguna otra intención que ser agradecido con él por su trabajo: esto sería un buen ejemplo de humildad.

PREDICAR CON EL EJEMPLO

Dios conoce bien nuestra naturaleza. Si Cristo no hubiera predicado con el ejemplo, este sería nuestro primer argumento para no obedecer. Entonces diríamos: ¡A ver, hazlo tú!, ¡no es fácil, verdad!

Es parte de nuestra naturaleza, siempre trata de justificarse. Fue por ello que Dios no dejó cabos sueltos; y aun así, hay personas insensatas que buscan acomodar a Dios a su propio intelecto; e incluso, hay otras que se han rebelado contra Dios abiertamente y sirven al mismísimo Satanás.

Lo que Dios nos pide que hagamos lo predicó con el ejemplo por medio de su Hijo Jesucristo, quien ejecutó el plan de Dios a la perfección conservándose limpio y sin mancha delante de Él.

Nuestra meta es desarrollar el carácter de Cristo. Debemos analizar a detalle nuestro carácter, evaluar nuestras debilidades y nuestras fortalezas, compararlas con las de nuestro Señor, y buscar día a día desarrollarlas.

Nuestra vida en esta tierra será exitosa si manifestamos el carácter del Señor.

«Mira que te mando que te esfuerces y seas valiente; no temas ni desmayes, porque Jehová tu Dios estará contigo en dondequiera que vayas» (Josué 1:9).

Es determinante establecer nuestra visión, si nuestra visión está equivocada y tenemos algo de las cualidades del carácter de Jesucristo, podría ser que nuestra vida sea exitosa en las cosas del mundo, mas no lo será en lo espiritual, y de esta manera, ¡nuestra alma se perderá de todos modos!

«Si, pues, habéis resucitado con Cristo, buscad las cosas de arriba, donde está Cristo sentado a la diestra de Dios. Poned la mira en las cosas de arriba, no en las de la tierra. Porque habéis muerto, y vuestra vida está escondida con Cristo en Dios. Cuando Cristo, vuestra vida, se manifieste, entonces vosotros también seréis manifestados con él en gloria» (Colosenses 3:1-4).

«No os afanéis, pues, diciendo: ¿Qué comeremos, o qué beberemos, o qué vestiremos? Porque los gentiles buscan todas estas cosas; pero vuestro Padre celestial sabe que tenéis necesidad de todas estas cosas. Mas buscad primeramente el reino de Dios y su justicia, y todas estas cosas os serán añadidas. Así que, no os afanéis por el día de mañana, porque el día de mañana traerá su afán. Basta a cada día su propio mal» (Mateo 6:31-34).

Dios sabe lo que necesitamos y Él nos dice: «Búscame y yo cubro tus necesidades» (paráfrasis).

Una nota para los padres:

Esfuércense para que sus hijos conozcan a Dios; que Jesucristo sea su héroe.

«Instruye al niño en su camino, Y aun cuando fuere viejo no se apartará de él» (Proverbios 22:6).

En mí fue cumplida esta promesa, pues gracias a mi madre, quien nos dirigió —a mis hermanas y a mí— a una iglesia cristiana, conocimos a Dios cuando éramos pequeños. Dios fue fiel con mi madre y cumplió su promesa a la perfección, pues todas mis hermanas y yo proclamamos a Cristo. Muchos me conocieron en una etapa de mi vida en la que fui rebelde; pero Dios me reclamó para sí y me dirigió otra vez hacia Él, ¡Dios es tan grande y maravilloso! Cuando una madre ora por sus hijos, su oración tiene mucho poder. Esto es mayor aún que el consejo mismo.

Gracias Dios porque tú cumples tus promesas. Yo te honro y te exalto, a ti la honra y la gloria por los siglos, amén.

Dios tiene grandes promesas para nosotros. ¿Crees en Dios? muy seguramente me contestarás que sí. Ahora te pregunto, ¿le crees?

Dios tiene planes de bendición para todos nosotros, no de calamidad, ¡Créele a Dios y lo experimentarás!

Ahora bien, así como hablamos de las bendiciones es necesario hablar también respecto a las consecuencias del pecado. Dios tiene planes de bendición, pero también hará justicia contra las personas que no creen en Él.

EL INFIERNO

Es necesario hablar sobre las consecuencias de la vida sin Cristo. Los siervos de Dios en la Biblia, la Palabra de Dios —y aún Jesucristo mismo—, hablaron del infierno. La Biblia tiene principios para vivir en la tierra, principios para vivir en el cielo y también añade algunos indicios de cómo se vivirá en el infierno.

Es importante mencionar que las iglesias, en general, no hablan del tema y curiosamente tampoco hablan de Satanás que es el principal engañador de la humanidad.

Muchas cosas que los hombres hacen son malas ante los ojos de Dios; no obstante, ellos pueden juzgarlas como buenas debido a que Satanás, sutilmente, ha hecho un camuflaje para que vean como bueno lo que desagrada a Dios. Es así como estas cosas, se establecen como norma de vida.

> «Y no es maravilla, porque el mismo Satanás se disfraza como ángel de luz» (2 Corintios 11:14).

Satanás está atacando a las familias, al matrimonio y a los hijos. El enemigo destruye lo que Dios ha creado y hace que los hombres se rebelen contra el Todopoderoso. Pero nosotros sabemos que la Biblia es el manual para el manejo de todos los temas de la vida. La Biblia, es una herramienta de vida para todos los seres humanos.

Satanás trabaja engañando a las naciones, y su engaño es perfecto. El enemigo hace un camuflaje para que, lo que Dios prohíbe, sea bien visto por la sociedad. Hay revistas, p. ej., que tienen como encabezado: «divórciate y sé feliz». Muchas películas en la actualidad justifican que un hijo se rebele contra sus padres y el resultado de esta rebeldía es un final feliz. Hay *shows* de televisión en donde un hijo tiene tres padres: el biológico, con el que se casó la mamá y el novio actual (porque la mujer es divorciada), tres padres y todos conviven *felices*. Y no se diga el homosexualismo, hay casos de escuelas en donde las familias heterosexuales no pueden quejarse respecto a una pareja de homosexuales que tiene a sus hijos en la misma escuela, y van los dos «padres» (ambos varones) a las juntas de sus hijos como «padres normales». Esto es una deformación total de lo establecido por Dios, y la sociedad lo está aceptando. Los homosexuales deben arrepentirse y cambiar su condición para poder entrar al cielo. La Biblia lo deja claro. Dios los ama, pero necesitan arrepentirse, eso es una decisión personal.

El objetivo de Satanás es llevar las almas al infierno. La Biblia lo llama homicida, pues constantemente está lanzando flechas a la sociedad, atacando a lo establecido por Dios; tanto que, las personas que han sido engañadas por Satanás han excluido totalmente a Dios y a sus principios. Satanás está trabajando en serio y la información que es introducida a la sociedad es orquestada por sus colaboradores; él usa personas, servidores de él (así como Dios tiene los suyos). Satanás también tiene servidores: existen grandes empresas a su servicio y personas de gran influencia que trabajan incansablemente para él. El destino final de todos ellos es el infierno, a menos de que se arrepientan y reconsideren a Jesucristo como su Señor y Salvador personal. Debemos estar conscientes de las consecuencias que existen cuando los hombres no quieren arrepentirse.

> «Y fue lanzado fuera el gran dragón, la serpiente antigua, que se llama diablo y Satanás, el cual engaña al mundo entero; fue arrojado a la tierra, y sus ángeles fueron arrojados con él» (Apocalipsis 12:9).

A Satanás le interesa que no creas en el infierno, que simplemente creas que no existe. Esto ayuda a su propósito: llevarse a muchísimas almas a ese espantoso lugar.

> «Jesús entonces les dijo: Si vuestro padre fuese Dios, ciertamente me amaríais; porque yo de Dios he salido, y he venido; pues no he venido de mí mismo, sino que él me envió. ¿Por qué no entendéis mi lenguaje? Porque no podéis escuchar mi

palabra. <u>Vosotros sois de vuestro padre el diablo</u>, y los deseos de vuestro padre queréis hacer. <u>Él ha sido homicida desde el principio</u>, y no ha permanecido en la verdad, porque no hay verdad en él. Cuando habla mentira, de suyo habla; <u>porque es mentiroso</u>, y padre de mentira. Y <u>a mí, porque digo la verdad, no me creéis</u>» (Juan 8:42-45).

LAS CARACTERÍSTICAS Y ESTRATEGIA DE SATANÁS:

* se disfraza como ángel de luz;

* engaña al mundo entero;

* es homicida desde el principio;

* es mentiroso.

¿CÓMO CONTRAATACO A SATANÁS?

⇒ con Jesucristo;

⇒ conociendo la Palabra de Dios.

«¿Qué, pues, diremos a esto? Si Dios es por nosotros, ¿quién contra nosotros?» (Romanos 8:31).

En la actualidad, frecuentemente, nos hacemos preguntas sobre el infierno. ¿Existe el infierno?, ¿actualmente hay personas en el infierno?, ¿dónde está el infierno? Si Dios es un Dios de amor, ¿por qué manda personas al infierno? Algunas personas insensatas dicen: «Pienso que el infierno lo vives aquí en la tierra».

La Biblia es clara en este punto: <u>la vida después de la muerte es una realidad.</u>

En un principio hablamos que fuimos creados a imagen y semejanza de Dios, con capacidad para pensar, decidir, para relacionarnos unos con otros, pero lo principal es que <u>somos eternos.</u>

«Todo lo hizo hermoso en su tiempo; y ha puesto eternidad en el corazón de ellos, sin que alcance el hombre a entender la obra que ha hecho Dios desde el principio hasta el fin» (Eclesiastés 3:11).

Con esto entendemos, que si Dios es Eterno, el ser humano también; así que, pensar que todo acaba al morir es un error catastrófico.

En nuestra vida tenemos dos citas que no podemos evitar: la muerte y el juicio.

«Y de la manera que está establecido para los hombres que mueran una sola vez, y después de esto el juicio» (Hebreos 9:27).

Esto descarta completamente la teoría de la reencarnación, una teoría pagana y demoniaca. El hinduismo, religión pagana, cree en la reencarnación y acostumbra a incinerar los cuerpos.

Abriré un paréntesis para explicar este punto, explicaré por qué no es bueno la práctica de incinerar los muertos.

«Así ha dicho Jehová: Por tres pecados de Moab, y por el cuarto, no revocaré su castigo; porque quemó los huesos del rey de Edom hasta calcinarlos» (Amos 2:1).

Muchos pensarán: pero, eso está escrito en el Antiguo Testamento.

PUNTO NO. 1

El versículo en Amós muestra claramente que Dios no se agradó de dicha práctica.

PUNTO NO. 2

Hablamos en el tema del carácter de Dios, en cuanto a la virtud del temple de Jesucristo, que en Dios no hay sombra de variación, entonces, si Dios no se agradó de dicha práctica antes de Cristo, tampoco se agradará de ella en la actualidad.

PUNTO NO. 3

La práctica de la incineración viene de una religión pagana que cree en la reencarnación, además de sociedades y otras religiones que lo practican.

PUNTO NO. 4

Cristo fue sepultado, Él iba a resucitar y nosotros también resucitaremos.

No significa que Dios no tenga el poder de resucitarnos si somos quemados, Él es poderoso para hacer eso y más, su poder no tiene límites; pero aquí estamos hablando de lo que agrada a Dios.

PUNTO NO. 5

En todos los casos de la Biblia en que las personas morían fueron sepultadas.

No estamos hablando de que las personas puedan perder su salvación con dicha práctica, pero un hijo de Dios siempre busca agradar a Dios y esta práctica definitivamente no le agrada.

Si tu encuentras razones bíblicas que justifiquen la incineración descarta estas recomendaciones, de lo contrario, yo no me arriesgaría.

¿Existe el infierno?

«Pero yo os digo que cualquiera que se enoje contra su hermano, será culpable de juicio; y cualquiera que diga: Necio, a su hermano, será culpable ante el concilio; y cualquiera que le diga: Fatuo, quedará expuesto al infierno de fuego» (Mateo 5:22).

«Y si tu mano derecha te es ocasión de caer, córtala, y échala de ti; pues mejor te es que se pierda uno de tus miembros, y no que todo tu cuerpo sea echado al infierno» (Mateo 5:30).

«Y no temáis a los que matan el cuerpo, mas el alma no pueden matar; temed más bien a aquel que puede destruir el alma y el cuerpo en el infierno» (Mateo 10:28).

¡Ay de vosotros, escribas y fariseos, hipócritas! porque recorréis mar y tierra para hacer un prosélito, y una vez hecho, le hacéis dos veces más hijo del infierno que vosotros» (Mateo 23:15).

Este último versículo es impactante, traducido al idioma actual sería algo así: «hombre de falsa doctrina, si tu recorres mar y tierra para predicar un evangelio diferente al de la Biblia, y esta persona lo cree, lo haces dos veces más hijo del infierno».

A mucha gente le convendría que no hubiera vida después de la muerte. Hay personas que practican tanta maldad en la tierra que logran evadir a la policía, logran evadir a los jueces, y toda la justicia humana en la tierra. Ellos quisieran que todo acabe el día que mueran para no pagar por todas las acciones que perpetraron.

Imagínese a un Adolfo Hitler, quien después de haber matado a seis millones de judíos y provocar la muerte de muchas personas con la Segunda Guerra Mundial, todo hubiese acabado para él al irse a la tumba, ¡qué injusticia tan grande! Escapar de la justicia humana y quedar impune no tiene sentido. Dios hará justicia.

Actualmente, ¿qué hay en el infierno?

«Porque no dejarás mi alma en el Seol, [infierno] Ni permitirás que tu santo vea corrupción» (Salmo 16:10).

Jesucristo murió y descendió a los infiernos durante tres días ¿qué fue lo que descendió a los infiernos? Su alma; entonces concluimos que en el infierno hay almas. La Biblia dice que cuando el cuerpo muere el alma y el espíritu desalojan el cuerpo.

> «Porque no dejarás mi alma en el Hades, [infierno] Ni permitirás que tu Santo vea corrupción» (Hechos 2:27).

¿Dónde está el infierno?

> «El camino de la vida es hacia arriba al entendido, Para apartarse del Seol [infierno] abajo» (Proverbios 15:24).

> «Es más alta que los cielos; ¿qué harás? Es más profunda que el Seol; ¿cómo la conocerás?» (Job 11:8).

> «Porque como estuvo Jonás en el vientre del gran pez tres días y tres noches, así estará el Hijo del Hombre en el corazón de la tierra tres días y tres noches» (Mateo 12:40).

Basándonos en estos tres versículos concluimos que el infierno está en el centro de la tierra.

En un documental (el cual se puede encontrar en internet) los rusos excavaron alrededor de 17 km hacia abajo con el objetivo de oír los sonidos tectónicos de la tierra para prevenir y anticipar los terremotos. Sin embargo, lo que oyeron fueron voces de almas atormentadas, y estaba tan caliente abajo, que los mismos materiales que usaban para excavar se desintegraban. Esto es congruente con lo que la Biblia dice del infierno. (Busca en internet dicho documental con el título «gritos del infierno»).

¿La gente o las almas sienten el infierno?

Para explicar este punto usaremos el relato de Cristo del rico y Lázaro registrado en Lucas 16:19 en adelante.

Las parábolas no son fábulas, sino ejemplos de verdades espirituales; ellas contienen misterios impactantes del mundo eterno. No obstante, en esta ocasión —opina Calvino— Cristo está narrando un hecho real, ya que se le da a uno de los personajes nombre —Lázaro— (cosa que no sucede en ninguna otra de sus parábolas).

Dios no vino a contarnos cuentos, la información que nos dejó es la que necesitamos saber para entender que hay vida espiritual.

«Había un hombre rico, que se vestía de púrpura y de lino fino, y hacía cada día banquete con esplendidez» (Lucas 16:19).

Así se vestían los fariseos, es posible que esta era una persona religiosa, una persona que llevaba una buena vida y pensaba que tenía una relación con Dios por ser religioso.

«Había también un mendigo llamado Lázaro, que estaba echado a la puerta de aquél, lleno de llagas, y ansiaba saciarse de las migajas que caían de la mesa del rico; y aun los perros venían y le lamían las llagas».

Lázaro esperaba que el religioso le diera de comer; sin embargo, no sólo no le daba, sino que el pobre Lázaro era afligido aun más por los perros que lamían sus heridas.

Dos aspectos importantes:

No se menciona el nombre del rico, pero el del pobre sí. Los expertos en teología bíblica comentan que hay nombres en la Biblia que se omiten porque no son dignos de ser recordados. ¿Qué pensaría el rico cuando veía al mendigo hambriento? Quizá pensaba: *Si le doy comida ahora no me lo voy a quitar de encima* (esta es una sabiduría hueca). Y nosotros, ¡cuántas veces no ayudamos a alguien por pensar así!

«Aconteció que murió el mendigo, y fue llevado por los ángeles al seno de Abraham; y murió también el rico, y fue sepultado».

El pobre es llevado al seno de Abraham, no a la presencia de Dios. El seno de Abraham era el lugar a donde iban los muertos antes de que Cristo muriera por nuestros pecados, y se encontraba cerca del infierno.

«Y en el Hades [infierno] alzó sus ojos, estando en tormentos, y vio de lejos a Abraham, y a Lázaro en su seno. Entonces él, dando voces, dijo: Padre Abraham, ten misericordia de mí, y envía a Lázaro para que moje la punta de su dedo en agua, y refresque mi lengua; porque estoy atormentado en esta llama».

El rico es sepultado y después apareció en el infierno, no hubo un proceso entre ambas condiciones, (sepultado-infierno); aquí concluimos que la doctrina falsa del purgatorio no existe. El rico alza sus ojos y ve el seno de Abraham, ahí ve a Abraham y a Lázaro; también éstos dos pueden ver hacia abajo.

Desde el infierno se alcanza a ver el seno de Abraham. En ese momento comienza un diálogo entre los muertos. Esto nos dice que los muertos hablan, ven. Él rico estaba en tormentos, no estaba durmiendo, estaba vivo, en sus cinco sentidos. Con esto se confirma que el mundo espiritual es real, pues Dios es eterno y nos hizo a su imagen y semejanza.

Este planeta tiene aproximadamente 6,000 años de existencia. Nosotros en promedio vivimos 70 a 80 años, así todos los que han muerto siguen teniendo un estado de conciencia.

Esto lo dice Jesucristo, el Hijo de Dios, y como mencioné antes, Jesucristo no vino a la tierra a contarnos cuentos, nos quiere advertir del peligro del pecado cuando el hombre no quiere arrepentirse. Pablo en 2 Corintios 4:18 dice:

«No mirando nosotros las cosas que se ven, sino las que no se ven; pues las cosas que se ven son temporales, pero las que no se ven son eternas».

Lo terrenal es visible, pero pasajero; no obstante, lo que no vemos es lo más importante, pues es eterno. No podemos ver el infierno y el cielo, pero son reales.

El rico ve hacia arriba, reconoce y calcula una distancia, o sea que el rico piensa, los muertos piensan. El rico gritó a Abraham, le dijo: «Padre Abraham...». ¿Por qué le dijo padre? Abraham es el padre de los judíos, por eso el condenado en el infierno le decía padre.

El rico daría toda su fortuna por una gota de agua en el infierno, una gota vale miles y miles de millones de dólares y el problema es que no se acepta dinero. Ahí el calor es insoportable, los científicos afirman que el centro de la tierra tiene una temperatura de 6,000 grados centígrados; y que el centro interno empieza a los 5,100 km de profundidad.

«Pero Abraham le dijo: Hijo, acuérdate que recibiste tus bienes en tu vida, y Lázaro también males; pero ahora éste es consolado aquí, y tú atormentado».

Abraham se dirige al rico diciéndole *hijo* y el rico le dice *padre*, y Abraham le dice *acuérdate* o sea que en el infierno las personas (almas) tienen memoria, por esta razón la Biblia es congruente cuando dice que Dios ha puesto eternidad en el corazón del ser humano.

«Además de todo esto, una gran sima está puesta entre nosotros y vosotros, de manera que los que quisieren pasar de aquí a vosotros, no pueden, ni de allá pasar acá.

En el infierno no existe tráfico de influencias, no se puede pasar, ni de allá para acá ni de acá para allá.

«Entonces le dijo: Te ruego, pues, padre, que le envíes a la casa de mi padre, porque tengo cinco hermanos, para que les testifique, a fin de que no vengan ellos también a este lugar de tormento».

Este es un punto importante. Tenemos una religión que cree en el purgatorio, ellos oran por el alma del muerto, hacen misas de cuerpo presente, misa de 1,2,3 días, de 15, del mes, del año, etc. Y oran (o rezan) por el alma del muerto para que el muerto llegue al cielo. El rico le pide a Abraham que envíe a testificar a la casa de su padre.

Mientras los vivos oran por el alma de los muertos, los muertos ruegan para que el alma de los vivos no vaya al infierno.

El muerto clama para que sus parientes no vayan a donde él está: un lugar de tormento.

La falta de conocimiento de la Palabra hace que las personas se pierdan. La Biblia nos dice que todos los que realmente han hecho de Jesús su Señor y Salvador tienen la seguridad de su salvación, es decir, de que entrarán al cielo. Así que, si los que pertenecen a esta religión estuvieran seguros de que sus familiares van al cielo ¿para qué oran por ellos?

«Y Abraham le dijo: A Moisés y a los profetas tienen; óiganlos. Él entonces dijo: No, padre Abraham; pero si alguno fuere a ellos de entre los muertos, se arrepentirán. Mas Abraham le dijo: Si no oyen a Moisés y a los profetas, tampoco se persuadirán aunque alguno se levantare de los muertos».

Como mencioné antes, Jesucristo no vino a contarnos cuentos, Él hará justicia con los hombres que no quieren arrepentirse.

Esta parábola aclara contundentemente un mundo espiritual, por esta razón, Satanás no quiere que leas la Biblia.

Seno de Abraham

Esta parábola del rico y Lázaro nos puede generar una duda: ¿qué es el seno de Abraham?

En el pasaje de 1 Samuel 28:13-19 se encuentra el diálogo que Saul —rey de Israel— sostiene con una adivina. Luego Samuel (un profeta ya muerto) habla con él también. El pasaje empieza diciendo:

> «¿Por qué me has engañado? pues tú eres Saúl. Y el rey le dijo: No temas. ¿Qué has visto? Y la mujer respondió a Saúl: He visto dioses que suben de la tierra (v.13).

¿De dónde subió Samuel? Del centro de la tierra, del seno de Abraham. Antes de que Jesús muriera por nosotros, los muertos que vivieron por fe, iban al seno de Abraham.

Cuando Jesús desciende a las partes más bajas de la tierra (Efesios 4:8-10), las almas que estaban en el seno de Abraham fueron liberadas, y es por el triunfo de Cristo sobre la muerte que nosotros hoy en día, cuando morimos, nuestra alma parte de inmediato al tercer cielo, con Dios. ¡Gloria a Dios!

Un punto importante en el cual no profundizaremos es este: ¿existe en la actualidad la práctica de consultar a los muertos? Por supuesto que sí, la Biblia nos deja claro que las cosas espirituales existen; esta práctica existe y Saúl fue muerto por consultar a los muertos, pues para Dios es abominación.

En la actualidad, si alguien consulta a los muertos y recibe alguna contestación, seguro debe tratarse de algún demonio engañador. Y si alguno dice que no le teme a la muerte yo pregunto: ¿cuándo se enfrentó a ella?

CONCLUSIÓN:

El propósito de Dios al hablarnos del infierno no es asustarnos; Él quiere advertirnos del peligro del pecado y de sus consecuencias. Las cosas de Dios deben tomarse con seriedad, la prueba por excelencia es que Cristo mismo tuvo que morir por nuestros pecados, Dios es un Dios de amor, pero también de justica.

No debemos de cuestionar el derecho de Dios de hacer justicia cuando el hombre no se quiere arrepentir.

Más versículos de la Biblia relacionados con el infierno

«¿Descubrirás tú los secretos de Dios? ¿Llegarás tú a la perfección del Todopoderoso? Es más alta que los cielos; ¿qué harás? Es más profunda que el Seol; ¿cómo la conocerás?» (Job 11:7-8).

«Aunque cavasen hasta el Seol, de allá los tomará mi mano; y aunque subieren hasta el cielo, de allá los haré descender» (Amos 9:2).

«Porque fuego se ha encendido en mi ira, Y arderá hasta las profundidades del Seol; Devorará la tierra y sus frutos, Y abrasará los fundamentos de los montes» (Deuteronomio 32:22).

«El camino de la vida es hacia arriba al entendido, Para apartarse del Seol abajo» (Proverbios 15:24).

«Si yo espero, el Seol es mi casa; Haré mi cama en las tinieblas. A la corrupción he dicho: Mi padre eres tú; A los gusanos: Mi madre y mi hermana. ¿Dónde, pues, estará ahora mi esperanza? Y mi esperanza, ¿quién la verá? A la profundidad del Seol descenderán, Y juntamente descansarán en el polvo» (Job 17:13-16).

«La sequía y el calor arrebatan las aguas de la nieve; Así también el Seol a los pecadores» (Job 24:19).

«Los malos serán trasladados al Seol, todas las gentes que se olvidan de Dios» (Salmos 9:17).

«Dice el necio en su corazón: No hay Dios. Se han corrompido, hacen obras abominables; No hay quien haga el bien» (Salmos 14:1).

«Tú crees que Dios es uno; bien haces. También los demonios creen, y tiemblan» (Santiago 2:19).

«Que la muerte les sorprenda; Desciendan vivos al Seol, Porque hay maldades en sus moradas, en medio de ellos» (Salmo 55:15).

«Mas si Jehová hiciere algo nuevo, y la tierra abriere su boca y los tragare con todas sus cosas, y descendieren vivos al Seol, entonces conoceréis que estos hombres irritaron a Jehová. Y aconteció que cuando cesó él de hablar todas estas palabras, se abrió la tierra que estaba debajo de ellos. Abrió la tierra su boca, y los tragó a ellos, a sus casas, a todos los hombres de Coré, y a todos sus bienes. Y ellos, con todo lo que tenían, descendieron vivos al Seol, y los cubrió la tierra, y perecieron de en medio de la congregación. Y todo Israel, los que estaban en derredor de ellos, huyeron al grito de ellos; porque decían: No nos trague también la tierra» (Números 16:30-34).

«Ligaduras del Seol me rodearon; Tendieron sobre mí lazos de muerte» (2 Samuel 22:6).

«Porque mi alma está hastiada de males, y mi vida cercana al Seol» (Salmo 88:3).

«Las sombras tiemblan en lo profundo, Los mares y cuanto en ellos mora. El Seol está descubierto delante de él, y el Abadón no tiene cobertura» (Job 26:5-6).

«Las sombras tiemblan en lo profundo, Los mares y cuanto en ellos mora. El Seol está descubierto delante de él, y
el Abadón no tiene cobertura» (Job 26:5-6).

«para que en el nombre de Jesús se doble toda rodilla de
los que están en los cielos, y en la tierra, y debajo de la
tierra; y toda lengua confiese que Jesucristo es el Señor,
para gloria de Dios Padre» (Filipenses 2:10-11).

CAPÍTULO 7

Señales que preceden al arrebatamiento

Cuando Cristo resucitó y se apareció ante sus discípulos, antes de ascender a los cielos, dijo:

«No se turbe vuestro corazón; creéis en Dios, creed también en mí. En la casa de mi Padre muchas moradas hay; si así no fuera, yo os lo hubiera dicho; voy, pues, a preparar lugar para vosotros. Y si me fuere y os preparare lugar, vendré otra vez, y os tomaré a mí mismo, para que donde yo estoy, vosotros también estéis» (Juan 14:1-3).

SEÑALES

Jesucristo no estableció una hora o fecha específica para su venida, pero nos dejó señales que acontecerían antes de que eso sucediera.

«Y estando él sentado en el monte de los Olivos, los discípulos se le acercaron aparte, diciendo: Dinos, ¿cuándo serán estas cosas, y qué señal habrá de tu venida, y del fin del siglo? Respondiendo Jesús, les dijo: Mirad que nadie os engañe. Porque vendrán muchos en mi nombre, diciendo: Yo soy el Cristo; y a muchos engañarán. Y oiréis de guerras y rumores de guerras; mirad que no os turbéis, porque es necesario que todo esto acontezca; pero aún no es el fin. Porque se levantará nación contra nación, y reino contra reino; y habrá pestes, y hambres, y terremotos en diferentes lugares. Y todo esto será principio de dolores. Entonces os entregarán a tribulación, y os matarán, y seréis aborrecidos de todas las gentes por causa de mi nombre. Muchos tropezarán entonces, y se entregarán unos a otros, y unos a otros se aborrecerán. Y muchos falsos profetas se levantarán, y engañarán a muchos; y por haberse multiplicado la maldad, el amor de muchos se enfriará. Mas el que persevere hasta el fin, éste será salvo. Y será predicado este evangelio del reino en todo el mundo, para testimonio a todas las naciones; y entonces vendrá el fin» (Mateo 24:3-14).

«Pero acerca de los tiempos y de las ocasiones, no tenéis necesidad, hermanos, de que yo os escriba. Porque vosotros sabéis perfectamente que el día del Señor vendrá así como ladrón en la noche; que cuando digan: Paz y seguridad, entonces vendrá sobre ellos destrucción repentina, como los dolores a la mujer encinta, y no escaparán. Mas vosotros, hermanos, no estáis en tinieblas, para que aquel día os sorprenda como ladrón. Porque todos vosotros sois hijos de luz e hijos del día; no somos de la noche ni de las tinieblas» (1 Tesalonicenses 5:1-5).

«Entonces habrá señales en el sol, en la luna y en las estrellas, y en la tierra angustia de las gentes, confundidas a causa del bramido del mar y de las olas; desfalleciendo los hombres por el temor y la expectación de las cosas que sobrevendrán en la tierra; porque las potencias de los cielos serán conmovidas. Entonces verán al Hijo del Hombre, que vendrá en una nube con poder y gran gloria. Cuando estas cosas comiencen a suceder, erguíos y levantad vuestra cabeza, porque vuestra redención está cerca. También les dijo una parábola: Mirad la higuera y todos los árboles. Cuando ya brotan, viéndolo, sabéis por vosotros mismos que el verano está ya cerca. Así también vosotros, cuando veáis que suceden estas cosas, sabed que está cerca el reino de Dios» (Lucas 21:25-31).

SOMOS EXTRANJEROS:

«Amados, yo os ruego como a extranjeros y peregrinos, que os abstengáis de los deseos carnales que batallan contra el alma» (1 Pedro 2:11).

Dios nos confirma que no somos de este mundo, somos extranjeros y peregrinos; nuestra ciudadanía está con Dios.

«Mas nuestra ciudadanía está en los cielos, de donde también esperamos al Salvador, al Señor Jesucristo; el cual transformará el cuerpo de la humillación nuestra, para que sea semejante al cuerpo de la gloria suya, por el poder con el cual puede también sujetar a sí mismo todas las cosas» (Filipenses 3:20-21).

La Biblia nos muestra que habrá señales políticas, militares, en la naturaleza; hambrunas, pestes, inmoralidad sexual, entre otras cosas, y esto dará lugar a la venida del Señor por su iglesia.

La ciencia aumentará:

«Pero tú, Daniel, cierra las palabras y sella el libro hasta el tiempo del fin. Muchos correrán de aquí para allá, y la ciencia se aumentará» (Daniel 12:4).

La frase *correrán de aquí para allá* se refiere a que las personas viajarán mucho más en los últimos tiempos. Daniel se escribió en el año 600 a. C.

En los últimos cincuenta años la ciencia ha crecido más que en los últimos 1,000 años, no se diga los últimos diez años.

⇒ En 1886 se inventó el carro de gasolina.

⇒ En 1903 El avión.

⇒ En 1928 La penicilina.

⇒ En 1945 Comienza la ciencia nuclear.

⇒ En 1954 El submarino nuclear.

⇒ En 1957 Los satélites en el espacio.

⇒ En 1969 Pisa el hombre la luna.

⇒ En 1971 Primera plataforma espacial.

Esta generación ha sido testigo del avance desenfrenado de la ciencia. En los últimos cincuenta años la ciencia ha crecido más que en los últimos 1,000 años. Hace treinta años empezaron los teléfonos celulares, ahora realizar una video llamada es algo común y corriente. Hoy, sin lugar a duda, nuestros hijos y nosotros mismos estamos viviendo el concepto de «la ciencia aumentará». El desarrollo tecnológico apunta a que la humanidad sea controlada por un grupo de personas. La tecnología en el futuro será usada en nuestra contra, para que la humanidad sea sometida a los propósitos de sus dirigentes (más adelante veremos esto a detalle) y nosotros mismos la estamos financiando.

Terremotos en diferentes lugares

> «Delante de él temblará la tierra, se estremecerán los cielos; el sol y la luna se oscurecerán, y las estrellas retraerán su resplandor. Y Jehová dará su orden delante de su ejército; porque muy grande es su campamento; fuerte es el que ejecuta su orden; porque grande es el día de Jehová, y muy terrible; ¿quién podrá soportarlo?» (Joel 2:10-11).

A lo largo de la historia, los sismos, los terremotos y los temblores en la tierra han aumentado en su frecuencia y en su intensidad. Los sismólogos registran que en el siglo XVII y XVIII anualmente el promedio era de tres terremotos y 200 sismos leves y se consideraba un terremoto fuerte a un grado de 5.0 en la escala de Richter. Hoy en día, se registran 5,000 movimientos telúricos por año y en los últimos diez años el planeta tierra registró los terremotos más violentos en su historia.

El terremoto en el Japón de 2011 fue el quinto más poderoso en la historia humana; los científicos dicen que, en estos últimos diez años, el planeta ha sido movido de su eje.

En las últimas dos décadas el planeta Tierra ha sufrido terremotos de magnitudes tan grandes como de 9.1 en la escala de Richter (Indonesia, 2004) y 9.0 (Japón, 2011). También ha habido graves terremotos en Haití (2010), China (2008), Pakistán (2008), Irán (2003), Chile (2010), Nepal (2015), México (2017), Ecuador (2016) etc. Todos estos terremotos han cobrado miles de víctimas.

«Porque se levantará nación contra nación, y reino contra reino; y habrá pestes, y hambres, y terremotos en diferentes lugares» (Mateo 24:7).

La siguiente es una impresionante profecía:

«Porque haré estremecer los cielos, y la tierra se moverá de su lugar, en la indignación de Jehová de los ejércitos, y en el día del ardor de su ira» (Isaías 13:13).

La isla de Japón fue desplazada cuatro metros, el terremoto de Chile desplazó de su eje al planeta Tierra diez cm. Uno de los países más adelantados tecnológicamente quedó reducido a escombros en cuestión de minutos en un sector de su población; ¡es increíble lo que Dios puede hacer en minutos! Un alto funcionario de Japón dijo: «Lo que nos pasó con el tsunami fue un castigo de Dios».

«Y castigaré al mundo por su maldad, y a los impíos por su iniquidad; y haré que cese la arrogancia de los soberbios, y abatiré la altivez de los fuertes» (Isaías 13:11).

Japón es un país que se cree autosuficiente, y predicar la Palabra de Dios allí es casi imposible: la gente es soberbia y arrogante. La Biblia le da la razón al mandatario japonés. A este gobernador le pidieron que renunciara por sus declaraciones. En Apocalipsis 9:20 dice: «Y los otros hombres que no fueron muertos con estas plagas, ni aun así se arrepintieron».

Dios tiene el control de todo, no podemos imaginarnos a Dios descansando y el ángel Gabriel diciéndole: ¡Dios, Dios, levántate porque hubo un tsunami en Japón y la isla se movió de su lugar cuarto metros!

Definitivamente el tsunami en Japón fue un juicio de Dios. Las desgracias, así como las bendiciones, pasan porque Dios las autoriza.

«Toda buena dádiva y todo don perfecto desciende de lo alto, del Padre de las luces, en el cual no hay mudanza, ni sombra de variación» (Santiago 1:17).

«Y toda isla huyó, y los montes no fueron hallados» (Apocalipsis 16:20).

Las islas en el Apocalipsis están destinadas a desaparecer. Recuerda que estamos viendo señales que anteceden al arrebatamiento de la iglesia. La iglesia vivirá principio de dolores, estos son avisos para que voltees a ver a Dios.

«Entonces habrá señales en el sol, en la luna y en las estrellas, y en la tierra angustia de las gentes, confundidas a causa del bramido del mar y de las olas» (Lucas 21:25).

¿Acaso la gente en Japón no estaba confundida y angustiada?

«Así ha dicho Jehová: He aquí que suben aguas del norte, y se harán torrente; inundarán la tierra y su plenitud, la ciudad y los moradores de ella; y los hombres clamarán, y lamentará todo morador de la tierra»(Jeremías 47:2).

La paciencia de Dios no es infinita, tiene su límite, lo hemos comprobado. Como en los días de Noé, Dios les dio de 70 a 120 años para que se arrepintieran. Lo vimos con Sodoma y Gomorra, ellos también tuvieron tiempo para arrepentirse. A esta generación Dios ha dado más de 2,000 años y las señales se están mostrando. La ira de Dios vendrá a la tierra. Dios es un Dios de amor, la prueba está en que mandó a su Hijo, pero si el hombre no quiere arrepentirse vendrá a juicio, sin lugar a duda será juzgado por el Señor.

«Porque he aquí que a la ciudad en la cual es invocado mi nombre yo comienzo a hacer mal; ¿y vosotros seréis absueltos? No seréis absueltos; porque espada traigo sobre todos los moradores de la tierra, dice Jehová de los ejércitos» (Jeremías 25:29, 31, 32, 33).

Dios comienza a traer juicio a las naciones; su paciencia tiene límite.

«Llegará el estruendo hasta el fin de la tierra, porque Jehová tiene juicio contra las naciones; él es el Juez de toda carne; entregará los impíos a espada, dice Jehová. Así ha dicho Jehová de los ejércitos: He aquí que el mal irá de nación en nación, y grande tempestad se levantará de los fines de la tierra. Y yacerán los muertos de Jehová en aquel día desde un extremo de la tierra hasta el otro; no se endecharán ni se recogerán ni serán enterrados; como estiércol quedarán sobre la faz de la tierra».

Muchas veces, en los terremotos los muertos no pueden ser enterrados. Por ejemplo, en Japón, los muertos no pudieron ser enterrados de inmediato, la prioridad eran los vivos y las plantas nucleares.

El mal irá de nación en nación; desde el evento catastrófico y lamentable de las Torres Gemelas, la realidad ha ido superando la ficción en todas sus diferentes facetas. Esta generación es responsable de identificar los tiempos que estamos viviendo. Pero si no conoces el plan de Dios para la humanidad ¿cómo podrás identificar los tiempos?

Derramaré mi Espíritu sobre toda carne

«Y después de esto derramaré mi Espíritu sobre toda carne, y profetizarán vuestros hijos y vuestras hijas; vuestros ancianos soñarán sueños, y vuestros jóvenes verán visiones» (Joel 2:28).

Profetizar no solamente significa decir lo que pasará en el futuro, también significa proclamar la Palabra de Dios.

«Y en los postreros días, dice Dios, Derramaré de mi Espíritu sobre toda carne, Y vuestros hijos y vuestras hijas profetizarán; Vuestros jóvenes verán visiones, Y vuestros ancianos soñarán sueños; Y de cierto sobre mis siervos y sobre mis siervas en aquellos días derramaré de mi Espíritu, y profetizarán» (Hechos 2:17-18).

Dios nos dice en el Antiguo Testamento y nos lo confirma en el Nuevo, que en los últimos tiempos habrá visiones. Es importante mencionar que también hay falsos profetas, lo importante es el conocimiento de la Palabra para no ser engañados y tener el discernimiento espiritual para saber lo que es de Dios y lo que es del diablo. Dios dice en su Palabra que por falta de conocimiento su pueblo perece, tenemos que conocer la Palabra de Dios.

«Mi pueblo fue destruido, porque le faltó conocimiento. Por cuanto desechaste el conocimiento, yo te echaré del sacerdocio; y porque olvidaste la ley de tu Dios, también yo me olvidaré de tus hijos» (Oseas 4:6).

«Más si aun nosotros, o un ángel del cielo, os anunciare otro evangelio diferente del que os hemos anunciado, sea anatema» (Gálatas 1:8).

Hoy en día hay gente que en sueños o en visiones, Jesús los ha llevado a conocer el infierno y el cielo, incluso gente que oficialmente se dictaminó muerta y volvió a la vida. Por el otro lado, la información en internet es peligrosa porque si no tienes el conocimiento de la Palabra puedes ser influenciado por doctrinas falsas orquestadas por el mismísimo Satanás.

Joel, el profeta, nació y vivió en el siglo IV antes de la era cristiana, durante la época del reinado de Joás, hay profecía en cincuenta versículos de los setenta y tres que componen su libro.

Prodigios en el cielo

«El sol y la luna se oscurecerán, y las estrellas retraerán su resplandor» (Joel 3:15).

«Y daré prodigios en el cielo y en la tierra, sangre, y fuego, y columnas de humo. El sol se convertirá en tinieblas, y la luna en sangre, antes que venga el día grande y espantoso de Jehová» (Joel 2:30-31).

«Y daré prodigios arriba en el cielo, y señales abajo en la tierra, Sangre y fuego y vapor de humo» (Hechos 2:19).

«El cuarto ángel tocó la trompeta, y fue herida la tercera parte del sol, y la tercera parte de la luna, y la tercera parte de las estrellas, para que se oscureciese la tercera parte de ellos, y no hubiese luz en la tercera parte del día, y asimismo de la noche» (Apocalipsis 8:12).

⇒ Joel nos anticipa: Haré <u>prodigios en el cielo</u>. Tenemos innumerables prodigios, búscalos en internet:

• Misteriosa luz en espiral.

• Relámpagos empáticos.

• Sonidos en el cielo sin explicación.

• Nubes de polvo del Sahara en Cancún.

⇒ <u>La luna como sangre</u>: En varias partes del mundo se ha podido ver la luna color rojo, incluso se observó este fenómeno en Monterrey (México).

• La estrella de David en un eclipse.

• Lluvias de sangre inexplicables.

⇒ <u>El sol se obscurecerá</u>: Una ciudad de Argentina se obscureció a las 12 pm.

⇒ <u>Columnas de humo</u>: volcanes en erupción, en varias ocasiones aeropuertos han sido cerrados por esta razón.

⇒ <u>Las potencias de los cielos serán conmovidas</u>: El número de meteoritos ha aumentado en los últimos años.

ARGENTINA	abril del 2012
SAN ANTONIO	abril del 2012
RUSIA	febrero del 2013
TOLUCA	abril del 2013
COLOMBIA	enero del 2013

Debemos comprender que lo que estamos viviendo son las señales que anteceden al arrebatamiento de la iglesia, y lo que vemos hoy en día son *los principios de dolores*, la iglesia pura y sin mancha será arrebatada y no estaremos en los juicios de Dios que se presentarán en la tierra.

Sin duda la iglesia no pasará ni por la tribulación, ni por la gran tribulación; pero si vivirá principio de dolores.

«Porque se levantará nación contra nación, y reino contra reino; y habrá pestes, y hambres, y terremotos en diferentes lugares. Y todo esto será <u>principio de dolores</u>» (Mateo 24:7-8).

Identificar los tiempos

Actualmente tenemos personas muy preparadas en el conocimiento de la Biblia, pero que no han entendido las señales, para ellos explico lo siguiente:

«Vinieron los fariseos y los saduceos para tentarle, y le pidieron que les mostrase señal del cielo. Mas él respondiendo, les dijo: Cuando anochece, decís: Buen tiempo; porque el cielo tiene arreboles. Y por la mañana: Hoy habrá tempestad; porque tiene arreboles el cielo nublado. ¡Hipócritas! que sabéis distinguir el aspecto del cielo, ¡mas las señales de los tiempos no podéis!» (Mateo 16:1-3).

Los fariseos y saduceos eran personas religiosas con conocimiento de la Palabra, pero ellos no supieron reconocer al

Mesías, al Hijo de Dios en la tierra; siendo que la misma Palabra anticipó su llegada con innumerables profecías. Cuando Cristo murió en la cruz se cumplieron más de 1,000 profecías escritas en el Antiguo Testamento.

Los religiosos en los días de Jesús no pudieron identificar los tiempos. Actualmente tenemos incluso pastores de iglesias que no han identificado los tiempos que preceden al arrebatamiento. Asimismo, existen religiones cristianas que no lo enseñan, y otras que antes lo predicaban, mas ahora ya no (aunque el evangelio es el mismo desde hace 2,000 años y no ha cambiado), éstos están entretenidos tratando de llenar sillas, bancas y butacas en las iglesias hablando lo que la gente quiere oír, cuando lo que debemos estar llenando es el cielo, no los edificios; y esto sólo se logra ganando almas para Cristo y enseñándoles la doctrina del Señor.

Jesucristo vino a morir por las almas. Las almas es el gran tesoro de Jesucristo. Actualmente tenemos muchas iglesias apostatas, de falsa doctrina, que comercializan con la fe y muchas otras que enseñan doctrinas de hombres. Lo más triste de ello es que muchas personas están siendo engañadas, aún los escogidos. ¡Tengamos mucho cuidado! Todos los que no estén preparados se quedarán en el arrebatamiento de la iglesia, el Señor no los llevará con Él.

La iglesia no está preparada para el arrebatamiento, sin embargo, las profecías están todas cumplidas. Los líderes religiosos deben identificar los tiempos y predicar sobre los tiempos actuales.

Cristo viene por su iglesia en breve, por una iglesia sin mancha, una que siempre busca la santidad y agradar a Dios.

«Comamos y bebamos porque mañana moriremos»

Es impactante lo que nos dice Isaías cuando describe cómo era la sociedad pre diluviana antes del juicio — un juicio sin precedentes— que tuvieron que enfrentar.

«y he aquí gozo y alegría, matando vacas y degollando ovejas, comiendo carne y bebiendo vino, diciendo: Comamos y bebamos, porque mañana moriremos» (Isaías 22:13).

¿Acaso no es el pensar de nuestra sociedad actual: *comamos y bebamos porque mañana moriremos*? Mientras el mundo se divierte, Dios enviará juicio.

La sociedad actual refleja una ausencia de Dios en todos los niveles; el mal sigue avanzando y las riquezas son el dios más adorado en el mundo. Una prueba contundente de lo anterior es la guerra que vivió —y está viviendo— México. Innumerables personas dieron sus vidas por defender a otras personas que tan sólo buscaban poder y riquezas, —y muertas— ahora sus almas están en el infierno. Si estas personas hubieran conocido a Dios y sus vidas las hubieran dado por defender los principios de Dios, hoy sus almas estarían consoladas en el cielo.

«Comamos y bebamos, porque mañana moriremos», esta es la frase de los jóvenes de hoy que viven sin Dios.

La sabiduría perfecta es dar la vida por el Dios que te creó. En Él hay vida eterna en gloria.

Granizos del cielo

Jesucristo nos está diciendo por medio de las señales: _Vengo pronto_; y nos manda avisos sobre los juicios del Apocalipsis, los principios de dolores.

«Y los siete ángeles que tenían las siete trompetas se dispusieron a tocarlas. El primer ángel tocó la trompeta, y hubo granizo y fuego mezclados con sangre, que fueron lanzados sobre la tierra; y la tercera parte de los árboles se quemó, y se quemó toda la hierba verde» (Apocalipsis 8:6-7).

Job, considerado el libro de la Biblia más antiguo, (escrito 1500 a. C.), en su capítulo 38, versículos 22 y 23, nos dice:

¿Has entrado tú en los tesoros de la nieve, O has visto los tesoros del granizo, Que tengo reservados para el tiempo de angustia, Para el día de la guerra y de la batalla?».

Job pasó una de las pruebas más fuertes descritas en la Biblia. El propósito principal del libro de Job es comprender que Dios nos puede pasar por pruebas para probar nuestros corazones, y que, si superamos la prueba, Él derramará bendición en nuestras vidas.

En la Biblia, aún en los pequeños detalles se encuentran grandes verdades y esto se denota también en el libro de Job. Él vio en visión los depósitos de granizo que Dios tiene preparados para el día del juicio. Para los que piensen que Dios perdió el control de las cosas, la noticia es que estamos dentro del plan de Dios y todo se está cumpliendo a la perfección.

«Y yo litigaré contra él con pestilencia y con sangre; y haré llover sobre él, sobre sus tropas y sobre los muchos pueblos que están con él, impetuosa lluvia, y piedras de granizo, fuego y azufre» (Ezequiel 38:22).

«Y cayó del cielo sobre los hombres un enorme granizo como del peso de un talento [40 kg]; y los hombres blasfemaron contra Dios por la plaga del granizo; porque su plaga fue sobremanera grande» (Apocalipsis 16:21).

Ustedes pueden buscar en internet: «granizos gigantes».

Inmoralidad sexual

Otra señal importante es el nivel de inmoralidad sexual que hemos alcanzado, que poco a poco y sutilmente se ha introducido en la sociedad. Ha estado ganando terreno y su tendencia creciente.

En Río de Janeiro, Brasil se casaron dos pastores y formaron una iglesia para homosexuales, La Iglesia Cristiana Contemporánea. Los tiempos que vivimos hoy en día son peligrosos, las profecías que ya están cumplidas, más el nivel de depravación sexual que estamos viviendo (como en los días de Noé, o de Sodoma y Gomorra), todo esto son evidencias de que el arrebatamiento ocurrirá pronto. No tenemos hora ni fecha y nadie sabe cuándo ocurrirá exactamente, pero lo que es seguro —y de esto la Biblia da evidencias— es que esta generación verá el arrebatamiento, sin duda nuestros hijos lo verán, así que es mejor estar preparados (más adelante veremos esta profecía).

«Asimismo como sucedió en los días de Lot; comían, bebían, compraban, vendían, plantaban, edificaban; mas el día en que Lot salió de Sodoma, llovió del cielo fuego y azufre, y los destruyó a todos. Así será el día en que el Hijo del Hombre se manifieste» (Lucas 17:28-30).

«y si condenó por destrucción a las ciudades de Sodoma y de Gomorra, reduciéndolas a ceniza y poniéndolas de ejemplo a los que habían de vivir impíamente, y libró al justo Lot, abrumado por la nefanda conducta de los malvados (porque este justo, que moraba entre ellos, afligía cada día su alma justa, viendo y oyendo los hechos inicuos de ellos)» (2 Pedro 2:6-8).

«¿No sabéis que los injustos no heredarán el reino de Dios? No erréis; ni los fornicarios, ni los idólatras, ni los adúlteros, ni los afeminados, ni los que se echan con varones, ni los ladrones, ni los avaros, ni los borrachos, ni los maldicientes, ni los estafadores, heredarán el reino de Dios» (1 Corintios 6:9-10).

Apostasía

«Pero con respecto a la venida de nuestro Señor Jesucristo, y nuestra reunión con él, os rogamos, hermanos, que no os dejéis mover fácilmente de vuestro modo de pensar, ni os conturbéis, ni por espíritu, ni por palabra, ni por carta como si fuera nuestra, en el sentido de que el día del Señor está cerca. Nadie os engañe en ninguna manera; porque no vendrá sin que antes venga la apostasía, y se manifieste el hombre de pecado, el hijo de perdición» (2 Tesalonicenses 2:1-3).

La apostasía significa que la iglesia se enfriará y habrá muchos casos de creyentes que volverán al pecado, e inclusive se revelarán contra Dios. En la actualidad, hay tantas sectas con falsas doctrinas que engañan a muchos y presentan otro dios, diferente al de la Biblia. Existe también un gran número de personas decepcionadas de las cosas de Dios debido a los falsos predicadores que se han retraído de la fe, importándoles más el dinero que las almas. Ellos se inspiran en doctrinas demoniacas y en huecas filosofías. No obstante, Jesucristo no vino a morir para que tú seas millonario, Jesucristo vino a morir para que entres al cielo.

Si buscas a Dios sólo porque te interesa un milagro y la iglesia promueve esto como principal doctrina, estás buscando a Dios por interés, no porque lo amas. La iglesia de sana doctrina tiene que predicar santidad y eso sólo es posible mediante el amor a Dios.

Si estás en una iglesia donde siempre predican que Dios te va a prosperar, que des para que Dios te dé y su doctrina se basa en el dinero, te están presentando un dios falso, diferente al de la Biblia; no estás conociendo al Dios verdadero; los líderes son predicadores apóstatas que les interesa solamente tu dinero y los únicos que están prosperando son ellos. Éstos —dice Dios— tendrán mayor condenación. Aléjate inmediatamente de allí. Para los predicadores apóstatas Dios dice lo siguiente:

> «Muchos me dirán en aquel día: Señor, Señor, ¿no profetizamos en tu nombre, y en tu nombre echamos fuera demonios, y en tu nombre hicimos muchos milagros? Y entonces les declararé: Nunca os conocí; apartaos de mí, hacedores de maldad» (Mateo 7:22-23).

Estos falsos profetas tendrán mayor condenación.

> «¿Cuánto mayor castigo pensáis que merecerá el que pisoteare al Hijo de Dios, y tuviere por inmunda la sangre del pacto en la cual fue santificado, e hiciere afrenta al Espíritu de gracia?» (Hebreos 10:29).

> «Mirad que nadie os engañe por medio de filosofías y huecas sutilezas, según las tradiciones de los hombres, conforme a los rudimentos del mundo, y no según Cristo» (Colosenses 2:8).

Las personas buscan información en otros medios, información hecha por los mismos hombres; es increíble que en la actualidad le crean más a los mayas, que a la misma Biblia. La Biblia es el documento fidedigno autorizado por Dios para nuestra enseñanza, en la Biblia tenemos la palabra profética más segura.

> «Tenemos también la palabra profética más segura, a la cual hacéis bien en estar atentos como a una antorcha que alumbra en lugar oscuro, hasta que el día esclarezca y el lucero de la mañana salga en vuestros corazones» (2 Pedro 1:19).

La humanidad se multiplicará

«Y acontecerá que cuando os multipliquéis y crezcáis en la tierra, en esos días, dice Jehová, no se dirá más: Arca del pacto de Jehová; ni vendrá al pensamiento, ni se acordarán de ella, ni la echarán de menos, ni se hará otra. En aquel tiempo llamarán a Jerusalén: Trono de Jehová, y todas las naciones vendrán a ella en el nombre de Jehová en Jerusalén; ni andarán más tras la dureza de su malvado corazón» (Jeremías 3:16-17).

La población mundial en el año 1800 era de 1,000 millones de habitantes, actualmente, se alcanzó la cantidad de 7.53 miles de millones de habitantes (2017).

Rumores de guerras

«Y oiréis de guerras y rumores de guerras; mirad que no os turbéis, porque es necesario que todo esto acontezca; pero aún no es el fin» (Mateo 24:6).

Actualmente nos cansamos de oír los comentarios sobre Siria, Irán, EE.UU., la mayoría de los países árabes, Rusia e Israel.

Guerras

Algunos ejemplos:

- Guerra civil afgana (incluida la guerra de Afganistán de 2015 a la actualidad).
- Guerra civil somalí (1991-presente).
- Guerra civil sursudanesa (2012-presente).
- La guerra de Irak (2003-2011).
- Israel vs Hamas, grupo terrorista de la franja de Gaza (agosto, 2014).

- La guerra de Bosnia y Herzegovina (1992).

- Actualmente Siria vs Israel se está gestando una guerra, tenemos una profecía contundente sobre Damasco, capital de Siria, esta ciudad desaparecerá en un día.

- La guerra de México (2006-presente), ha cobrado la vida de más de 115,000 personas.

- La guerra de Ucrania y Rusia.

«Profecía sobre Damasco. He aquí que Damasco dejará de ser ciudad, y será montón de ruinas» (Isaías 17:1).

Isaías se escribió 750 años antes de Cristo.

Falsos profetas

Es urgente que escapes de las iglesias que solamente hablan de dinero, prosperidad, bendición, éxito y no hablan de arrepentimiento y santidad.

«Porque se levantarán falsos Cristos, y falsos profetas, y harán grandes señales y prodigios, de tal manera que engañarán, si fuere posible, aun a los escogidos» (Mateo 24:24).

Los profetas falsos están por todo el mundo, en este libro sólo mencionaremos algunos cercanos a nuestra región.

Por ejemplo, la secta demoniaca Pare de Sufrir que comercializan con la fe. El líder, obispo Macedo, tiene una mansión y lo acusan de lavado de dinero. Esta secta, pide dinero para que Dios te bendiga. Te digo, eso no funciona así, tú das a Dios por agradecimiento de lo que Él te ha bendecido.

Existen en el mundo muchos que engañan a la gente; se disfraza como ángeles de luz, pero predican una doctrina demoniaca.

Los videntes, astrólogos y adivinos. La Biblia, la Palabra de Dios, ha sido determinante y vertical con todo esto. El rey Saúl, primer rey de Israel, murió por consultar a una adivina.

«Pero los cobardes e incrédulos, los abominables y homicidas, los fornicarios y hechiceros, los idólatras y todos los mentirosos tendrán su parte en el lago que arde con fuego y azufre, que es la muerte segunda» (Apocalipsis 21:8).

«Más los perros estarán fuera, y los hechiceros, los fornicarios, los homicidas, los idólatras, y todo aquel que ama y hace mentira» (Apocalipsis 22:15).

«Y vendré a vosotros para juicio; y seré pronto testigo contra los hechiceros y adúlteros, contra los que juran mentira, y los que defraudan en su salario al jornalero, a la viuda y al huérfano, y los que hacen injusticia al extranjero, no teniendo temor de mí, dice Jehová de los ejércitos» (Malaquías 3:5).

«Pero el Espíritu dice claramente que en los postreros tiempos algunos apostatarán de la fe, escuchando a espíritus engañadores y a doctrinas de demonios; por la hipocresía de mentirosos que, teniendo cauterizada la conciencia, prohibirán casarse, y mandarán abstenerse de alimentos que Dios creó para que con acción de gracias participasen de ellos los creyentes y los que han conocido la verdad» (1 Timoteo 4:1-3).

«Porque vendrán muchos en mi nombre, diciendo: Yo soy el Cristo; y a muchos engañarán» (Mateo 24:5).

Falso Cristo: José Luis Miranda, se autoproclamaba como «el Cristo reencarnado» y tenía una multitud de seguidores. Murió en Orlando, Florida en 2013.

«Y si dijeres en tu corazón: ¿Cómo conoceremos la palabra que Jehová no ha hablado?; si el profeta hablare en nombre de Jehová, y no se cumpliere lo que dijo, ni aconteciere, es palabra que Jehová no ha hablado; con presunción la habló el tal profeta; no tengas temor de él» (Deuteronomio 18:21-22).

Es lamentable, pero incluso existen iglesias que están lavando dinero del narcotráfico, y esa es la razón por que construyen templos de un día para otro; la CIA tiene información de estas falsas iglesias. Mientras tanto, la gente que con sinceridad busca a Dios en ese tipo de iglesias no lo está encontrando, ¿cómo van a amar a un Dios que no conocen?

Es algo bastante fácil encontrar en internet estos predicadores falsos. Éstos dicen que hay otro apocalipsis, hacen *shows* e inventan mil y una cosa para obtener dinero de la gente. Esta información está disponible en internet, ahí podrás darte cuenta que estas personas tienen multitud de seguidores. Esto es algo serio para nuestro Dios: se están perdiendo muchas almas, el tesoro de Dios, Él vino a morir por ellas, y se pierden por seguir a predicadores de falsa doctrina, y todo por la falta de conocimiento. <u>Mi pueblo perece por falta de conocimiento</u>.

Existe una secta con una doctrina demoniaca que son los testigos de Jehová, estos son los que van de casa en casa tocando puertas, para supuestamente «hablar de la Palabra de Dios». El consejo es <u>no los reciban</u>. La Biblia dice que si los recibes y les dices bienvenidos te haces cómplice de ellos.

> «Cualquiera que se extravía, y no persevera en la doctrina de Cristo, no tiene a Dios; el que persevera en la doctrina de Cristo, ése sí tiene al Padre y al Hijo. Si alguno viene a vosotros, y no trae esta doctrina, <u>no lo recibáis en casa</u>, ni le digáis: ¡Bienvenido! Porque el que le dice: ¡Bienvenido! participa en sus malas obras» (2 Juan 1:9-11).

Ellos han modificado la Palabra de Dios.

Charles Taze Russell, el fundador de esta secta modificó la Biblia a su manera, para que coincidiera con su doctrina demoniaca. Según ellos todo se acaba cuando las personas mueren, los testigos de Jehová dicen que el infierno es aquí en la tierra, dicen que como Dios es un Dios de amor, no mandará gente al infierno. Dicen que la parábola del rico y Lázaro es una fábula. Dios no vino a contarnos cuentos, las parábolas son verdades celestiales.

Otra secta con doctrina demoniaca son los mormones. Ellos se bautizan por los muertos, porque piensan que les ayudan a salvarse; sin embargo, la Biblia dice que cuando una persona muere ya no hay nada que hacer.

El evangelio será predicado en todo el mundo

«Y será predicado este evangelio del reino en todo el mundo, para testimonio a todas las naciones; y entonces vendrá el fin» (Mateo 24:14).

Dios ya vio la película de los tiempos, y simplemente para Dios el futuro es historia. En nuestros días la tecnología está sirviendo para que todas las naciones escuchen de Dios; actualmente hay programas responsables con sana doctrina en la televisión y el evangelio está llegando a todo el mundo.

Bramido del mar

«Entonces habrá señales en el sol, en la luna y en las estrellas, y en la tierra angustia de las gentes, confundidas a causa del bramido del mar y de las olas» (Lucas 21:25).

«Y bramará sobre él en aquel día como bramido del mar; entonces mirará hacia la tierra, y he aquí tinieblas de tribulación, y en sus cielos se oscurecerá la luz» (Isaías 5:30).

Tsunamis recientes:

Diciembre 2004	Indonesia
Julio 2006	Indonesia
Septiembre 2009	Samoa
Febrero del 2010	Chile
Octubre del 2010	Indonesia
Marzo del 2011	Japón

Satanás sabe la Biblia al revés y al derecho, nuestra lucha es contra principados y potestades de las tinieblas, Satanás se está adelantando a los tiempos y siempre tratará de descalificar y confundir las señales que anticipa la Biblia, pero con el conocimiento bíblico puedes identificar lo que viene de Dios y lo que viene del diablo.

Profecía de Israel

En el año 70, después de Cristo, Jerusalén fue destruida por los romanos y con ella el templo de Salomón; los judíos fueron dispersados por todo el mundo, razón por la cual en nuestras ciudades tenemos judíos. La profecía dice:

> «Y traeré del cautiverio a mi pueblo Israel, y edificarán ellos las ciudades asoladas, y las habitarán; plantarán viñas, y beberán el vino de ellas, y harán huertos, y comerán el fruto de ellos. Pues los plantaré sobre su tierra, y nunca más serán arrancados de su tierra que yo les di, ha dicho Jehová Dios tuyo» (Amós 9:14-15).

Dios, a través de Israel, nos ha dejado mucha enseñanza y profecías cumplidas y por cumplir. Si queremos estar pendientes del plan de Dios para la humanidad, debemos estar observando a Israel, esta nación es el indicador para identificar los tiempos en el reloj de Dios.

«Y haré de ti una nación grande, y te bendeciré, y engrande-
ceré tu nombre, y serás bendición. Bendeciré a los que te
bendijeren, y a los que te maldijeren maldeciré; y serán benditas en ti todas las familias de la tierra» (Génesis 12:2-3).

Israel es el pueblo vivo más antiguo del mundo con 5,779
años de existencia. Su prevalencia es una prueba de que Dios
existe. Han existido imperios que han querido acabar con
ella, pero todos los que han tratado de destruirla han desaparecido. Actualmente son quince millones de judíos en el
mundo.

Israel es un territorio pequeño con una extensión de vein-
tidós mil km² en medio de cincuenta y siete países árabes que
tienen doce millones de km². La pelea definitivamente no es
por territorio.

«Bendeciré a los que te bendijeren, y a los que te maldijeren maldeciré; y serán benditas en ti todas las familias de
la tierra» (Génesis 12:3).

Chávez ex presidente venezolano maldijo a Israel diciendo: «Maldigo al pueblo de Israel desde el fondo de mis entrañas»; y ¿en dónde le dio el cáncer? Aun así, Dios le dio un
año para arrepentirse y comentan que rogaba y decía a los
médicos que no quería morir.

«Porque yo reuniré a todas las naciones para combatir contra Jerusalén; y la ciudad será tomada, y serán saqueadas las
casas, y violadas las mujeres; y la mitad de la ciudad irá en
cautiverio, mas el resto del pueblo no será cortado de la ciudad» (Zacarías 14:2).

Es importante mencionar que ser el pueblo escogido de
Dios demanda mucha obediencia y la desobediencia trae
consecuencias. Cuando Jesucristo estuvo en la tierra la mayo-

ría de los judíos no creyeron en Él como el Mesías y por esta razón Dios hizo juicio sobre su nación.

Cuando Jesucristo estaba con sus discípulos en el templo, los discípulos le presumían el templo de Jerusalén y Jesús les dijo: «¿veis esto? pues no quedará piedra sobre piedra».

> «Respondiendo él, les dijo: ¿Veis todo esto? De cierto os digo, que no quedará aquí piedra sobre piedra, que no sea derribada» (Mateo 24:2).

En el año 70 d. C., 40 años después de que Jesucristo ascendió a los cielos, el Impero Romano destruyó a Jerusalén y con ella el templo, cumpliendo así la profecía de Jesucristo al pie de la letra —y la profecía de Zacarías—, ya que el pueblo tuvo que dispersarse. Esa es la razón por la cual los judíos se encuentran por todo el mundo.

En el año de 1948 asombrosa y milagrosamente, Israel se constituye como nación por decreto de la ONU, cumpliéndose así la profecía de Amos 9:14-15. Sin embargo, no es hasta 1967 cuando Israel regresa oficialmente a su tierra; y claro, sus vecinos los árabes no estaban de acuerdo. Así fue como se detonó la famosa guerra de los seis días.

Para Israel era imposible ganar esta guerra, sus enemigos tenían todas las ventajas, Egipto estaba apoyado por los países árabes y solamente un milagro podía hacer que Israel ganara. El milagro ocurrió, los judíos escucharon un mensaje de un capitán enemigo y esa información les sirvió para destruir la mayor parte de sus aviones. Israel ganó y además tomó más territorio.

Y ¿qué dice la profecía de Amos 9:15? «… y nunca más serán arrancados de su tierra». Ya nunca podrán quitar a Israel de su tierra porque Dios los protegerá.

«Sucederá que cuando hubieren venido sobre ti todas estas cosas, la bendición y la maldición que he puesto delante de ti, y te arrepintieres en medio de todas las naciones adonde te hubiere arrojado Jehová tu Dios, y te convirtieres a Jehová tu Dios, y obedecieres a su voz conforme a todo lo que yo te mando hoy, tú y tus hijos, con todo tu corazón y con toda tu alma, <u>entonces Jehová hará volver a tus cautivos</u>, y tendrá misericordia de ti, <u>y volverá a recogerte de entre todos los pueblos adonde te hubiere esparcido Jehová tu Dios</u>. Aun cuando tus desterrados estuvieren en las partes más lejanas que hay debajo del cielo, de allí te recogerá Jehová tu Dios, y de allá te tomará; y te hará volver Jehová tu Dios a la tierra que heredaron tus padres, y será tuya; y te hará bien, y te multiplicará más que a tus padres» (Deuteronomio 30:1-5).

«Y oí al varón vestido de lino, que estaba sobre las aguas del río, el cual alzó su diestra y su siniestra al cielo, y juró por el que vive por los siglos, que será por tiempo, tiempos, y la mitad de un tiempo. Y cuando se acabe la dispersión del poder del pueblo santo, todas estas cosas serán cumplidas» (Daniel 12:7).

«De la higuera [Israel] aprended la parábola: Cuando ya su rama está tierna, y brotan las hojas, sabéis que el verano está cerca. Así también vosotros, cuando veáis todas estas cosas, conoced que está cerca, a las puertas. De cierto os digo, que <u>no pasará esta generación </u>hasta que todo esto acontezca» (Mateo 24:32-33).

Algunos infieren que Jesucristo quiere decir que la generación que viera a Israel retornar a su tierra, y que la viera prosperar como nación, esa generación vería el día grande del Señor (el arrebatamiento), aunque no está muy claro que significa esto realmente. Siguiendo esta línea de pensamientos, los que así piensan, toman como una base de cálculo el año en que Israel ocupó el este de Jerusalén tras la Guerra de los Seis Días (1967). Ellos dicen que si una generación consiste en setenta u ochenta años (Salmos 90:10), y si este número se agrega al año 1967, esto resulta en el año 2037. Sin embargo, estos números no dejan de ser tan sólo especulaciones de algo que Jesús claramente dijo que es imposible predecir.

«Pero del día y la hora nadie sabe, ni aun los ángeles de los cielos, sino sólo mi Padre» (Mateo 24:36).

Jesucristo nos dice que nadie sabe la fecha, pero Dios nos deja señales las cuales hacemos bien en estar atentos.

Si algún falso profeta asegura fecha y hora no le escuches. Dios nos manda a estar al pendiente de todas estas señales y lo que pasa en Israel. Debemos bendecir a Israel porque Israel es el pueblo escogido de Dios y porque Jesucristo fue judío y a través de los judíos tenemos salvación.

La estatua de Nabucodonosor

La profecía de la estatua de Nabucodonosor está escrita en el libro de Daniel, uno de los libros más difíciles de interpretar, ya que está escrito en varios idiomas. El libro de Daniel es el Apocalipsis del Antiguo Testamento. El 45% de su contenido es profético, pues contiene cincuenta y ocho profecías. Definitivamente, el libro de Daniel es fascinante.

En el libro de Daniel se encuentra la profecía del sueño de Nabucodonosor, ésta es una de las más fáciles de entender, pero a continuación la explicaré a detalle.

Nabucodonosor era gobernante del Imperio babilónico; éste fue el que destruyó el templo de Jerusalén por primera vez y se llevó cautivo al pueblo de Israel a Babilonia —el actual Irak—, y lo tuvo cautivo por 70 años. En ese tiempo el profeta Daniel escribió su libro, en el cual podemos leer la profecía del capítulo dos, la profecía de la estatua de diversos materiales y de la piedra que la destruiría.

Babilonia construyó los Jardines Colgantes, una de las siete maravillas del mundo antiguo. Sus edificios eran preciosos y colosales, algunos de ellos tenían incrustaciones de oro (p.ej. la gran Puerta de Ishtar); por cierto, los babilonios eran talentosos orfebres.

Babilonia se caracterizaba por tener los mejores astrólogos, magos y brujos del mundo, considerados superiores — incluso— a los que había en Egipto; quienes, no sólo desarrollaban la brujería, sino, además, eran excelentes astrónomos, asiduos observantes de las estrellas, y podían hacer cálculos matemáticos perfectos. Ellos eran personas muy preparadas e inteligentes, sin embargo, no pudieron conocer el sueño del rey narrado en Daniel 2.

Dentro de toda esa multitud de magos y brujos que no pudieron revelar a Nabucodonosor su sueño, había tres muchachos judíos, de quienes la Biblia dice que el rey les había hallado diez veces más sabios que todos los sabios de Babilonia.

Los babilónicos eran muy sádicos, tanto, que se habla de que a la gente le sacaban el corazón y se lo comían.

Babilonia arrasó con muchas naciones de la época e Israel fue uno de los pueblos sometidos. Por aquel tiempo, el pueblo de Dios estaba viviendo una época muy parecida a la actual: tenía muchos profetas falsos; el único profeta verdadero era Jeremías, quien vivió antes que Daniel. Por aquella época, todos los profetas falsos hablaban de prosperidad y bendición y no de santidad y arrepentimiento, tal y como actualmente predican las sectas de la falsa doctrina; algo idéntico: todos hablaban de dinero y de prosperidad. La justificación de ello era que el templo estaba ahí, por lo tanto, Dios estaba con ellos. Todos estos profetas decían que les iría bien a todos, no obstante, no se habían dado cuenta de que el pecado ya había alcanzado el límite de la paciencia de Dios. Entonces Él les dice: ¡No!, no vendrá bendición sino castigo. Dios dice: Voy a traer al rey Nabucodonosor con su ejército salvaje, y serán cautivos por 70 años.

A Babilonia también se le llamaba Imperio caldeo, y representa, no solamente el Imperio babilónico, sino también la torre de Babel y la confusión de los idiomas; además, representa la confusión religiosa. En Babilonia se formaron prácticamente todas las religiones falsas del mundo, y aun las que existen hoy tienen su raíz más profunda en Babilonia.

Finalmente, el imperio babilónico fue destruido. Esto está escrito en Daniel 9:2:

«en el año primero de su reinado, yo Daniel miré atentamente en los libros el número de los años de que habló Jehová al profeta Jeremías, que habían de cumplirse las desolaciones de Jerusalén en setenta años».

Habían de cumplirse las desolaciones [aflicciones, angustias] de Jerusalén en setenta años, y el mismo Daniel, quien era tan sabio, tuvo que consultar las profecías de Jeremías. El rey Nabucodonosor murió y dejó en su lugar a su descendiente, el rey Belsasar; éste armó tremenda fiesta y cometió un error que desagradó a Dios terriblemente, ¿cuál fue ese error tan grande? Cuando Nabucodonosor destruyó el templo de Jerusalén, sacó todos los utensilios de oro y plata, las bases de plata y oro con las cuales se presentaban ofrendas al Dios del cielo y con esos mismos vasos ordenó que le sirvieran vino y se emborrachó tanto que perdió el sentido.

Utilizar utensilios sagrados es un pecado terrible. La descripción de toda esta historia la podemos leer en Daniel capítulo cinco.

Cuando este rey, el rey Belsasar, se sentía más confiado, en ese mismo momento apareció una mano y escribió lo siguiente: Tu reino será acabado y será entregado a los medopersas, porque Dios te encontró falto. Entonces el rey tembló.

El Imperio medo-persa estaba compuesto por más de un millón de soldados. Eran tantos, que los historiadores dicen que, teniendo el rey la costumbre de sentarse en su trono para ver desfilar a su ejército, en una ocasión le tomó día y medio ver pasar a todo su ejército delante de él.

Este imperio fue el que destruyó a Babilonia.

Daniel lo había profetizado; en Daniel 2:39 dice:

«Y después de ti se levantará otro reino inferior al tuyo; y luego un tercer reino de bronce, el cual dominará sobre toda la tierra».

Los medo-persas fueron dos pueblos que se unieron para acabar con el Imperio babilónico; ellos se caracterizaban por ser extremadamente hábiles con las manos, eran expertos artesanos e ingeniosos constructores.

El rey del Imperio medo-persa mandó reconstruir el templo de los judíos. Posteriormente, el Imperio griego fue quien eliminó al Imperio medo-persa al mando de Alejandro Magno, quien, con tan sólo 32,000 soldados derrotó a uno de un millón. Alejandro Magno no necesitó muchos soldados para acabar con el Imperio medo-persa.

Alejandro Magno era muy inteligente, sin embargo, sus sucesores no pudieron conservar el poder, ya que después, en su lugar, se levantó el Imperio romano. Los griegos se fueron desvaneciendo en el tiempo, y lo que quedó de este imperio fue la mitología, la Ilíada de Homero, el recuerdo de los filósofos griegos... pero la realidad es que el Imperio griego pereció. Cabe mencionar que el pueblo judío —antes de que el Imperio romano surgiera—, debilitó en gran manera al Imperio griego y esto fue un factor importante para que el Imperio romano prevaleciera.

El Imperio romano tuvo una duración de mil años, éste ha sido el imperio más largo de la historia.

«Y el cuarto reino será fuerte como hierro; y como el hierro desmenuza y rompe todas las cosas, desmenuzará y quebrantará todo» (Daniel 2:40).

Este imperio perseguía a los cristianos sin piedad. Sus súbditos tenían la orden de matarlos. Los historiadores coinciden en afirmar que los metían a los circos en grupos, liberaban a leones hambrientos y éstos los comían frente a toda la gente. Los romanos eran muy sádicos con aquellos que proclamaban al Dios vivo y verdadero. También los torturaban y les quemaban vivos en las hogueras.

Después de un período de intensa persecución, llegó al poder Constantino, un líder político inteligente. Constantino vio el crecimiento del cristianismo como un problema, una amenaza para su imperio.

El número de cristianos crecía pese a las acciones contra ellos; pues cuando los mataban, en lugar de maldecir, ellos no dejaban de alabar a Dios; y la gente, al ser testigo de su fe, se convertía a Cristo; así era como el cristianismo crecía.

Entonces Constantino cambió la estrategia: *si no puedes con el enemigo, únetele*; entonces firmó el Edicto de Milán, en donde la ley romana procuraba la total libertad religiosa en el imperio. Sin embargo, ¿qué fue lo que sucedió?

Las personas se convertían al cristianismo, no por haber tenido un verdadero encuentro con Dios, si no por conveniencia.

No se convertían de corazón, más bien, engrosaban las filas de una iglesia falsa, así fue como surgió la religión católica y con ella, el papado.

«No todo el que me dice: Señor, Señor, entrará en el reino de los cielos, sino el que hace la voluntad de mi Padre que está en los cielos» (Mateo 7:21).

«Todo aquel que confiese que Jesús es el Hijo de Dios, Dios permanece en él, y él en Dios» (1 Juan 4:15).

«que si confesares con tu boca que Jesús es el Señor, y creyeres en tu corazón que Dios le levantó de los muertos, serás salvo. Porque con el corazón se cree para justicia, pero con la boca se confiesa para salvación» (Romanos 10:9 -10).

Todas las personas que se convirtieron al cristianismo por seguir un sistema impuesto por el gobierno no fueron realmente salvas. Confesar con tu boca significa que lo vivas; significa creerle a Dios, no creer en Dios. No se trata tan sólo de una pronunciación no sincera del Señor: no cualquier hablador que me diga Señor, Señor entrará en el reino de los cielos.

Todos los que lo confiesan con la vida, con la sangre, con su testimonio; que defienden la verdad, que están dispuestos a seguir la voluntad de Dios, a morir a la carne y ser guiados por el Espíritu Santo, éstos son salvos.

En este tiempo es cuando surge la gran ramera de la que habla el Apocalipsis. La iglesia que fornica con los reyes de este mundo. Esta se sienta en la ciudad de los siete montes, Roma está en medio de 7 montes. Las siete colinas de Roma: el Aventino, el Capitolino, el Celio, el Esquilino, el monte Palatino, el Quirnal, el Viminal.

«y en su frente un nombre escrito, un misterio: Babilonia la grande, la madre de las rameras y de las abominaciones de la tierra» (Apocalipsis 17:5).

«Esto, para la mente que tenga sabiduría: Las siete cabezas son siete montes, sobre los cuales se sienta la mujer» (Apocalipsis 17:9).

El Imperio romano de Oriente fue derrotado por las invasiones de los pueblos bárbaros (476 d. C). Muchos piensan que el Imperio romano desapareció, pero tenemos dos razones principales para decir que el Imperio romano no ha desaparecido.

La Biblia dice en Mateo 23:9:

«Y no llaméis padre vuestro a nadie en la tierra; porque uno es vuestro Padre, el que está en los cielos».

«Pero el Espíritu dice claramente que en los postreros tiempos algunos apostatarán de la fe, escuchando a espíritus engañadores y a doctrinas de demonios; por la hipocresía de mentirosos que, teniendo cauterizada la conciencia, prohibirán casarse, y mandarán abstenerse de alimentos que Dios creó para que con acción de gracias participasen de ellos los creyentes y los que han conocido la verdad» (1 Timoteo 4:1-3).

LA ESTATUA:

⇒ **Cabeza de oro**: representa a Babilonia, grandes pensadores.

⇒ **Pecho de plata con dos brazos**: el Imperio medo-persa, los dos brazos significan dos pueblos en alianza, estos eran muy hábiles con las manos y expertos en artesanías.

⇒ **Vientre de la imagen de bronce**: en el año 333 a. C. los griegos quitaron el dominio a los medo-persas. Los griegos fueron conocidos por la búsqueda del placer (hedonistas).

⇒ **Las piernas de hierro**: representan el Imperio romano, el más poderoso de la historia. Las dos piernas hacen alusión a la división del imperio en oriente y occidente; y lo largo de las piernas significan que fue el imperio más lon-gevo de la historia 1,000 años de imperio.

⇒ **Los pies con barro y hierro cocido**: los pies representan el último imperio de la historia: «la Unión Euro-pea» (conectado con el Imperio romano).

«Y lo que viste de los pies y los dedos, en parte de barro coci-do de alfarero y en parte de hierro, será un reino dividido; mas habrá en él algo de la fuerza del hierro, así como viste hierro mezclado con barro cocido. Y por ser los dedos de los pies en parte de hierro y en parte de barro cocido, el reino será en parte fuerte, y en parte frágil. Así como viste el hie-rro mezclado con barro, se mezclarán por medio de alianzas humanas; pero no se unirán el uno con el otro, como el hie-rro no se mezcla con el barro» (Daniel 2:41-43).

¿De qué se habla hoy en día? De la globalización, acuerdos multilaterales, bilaterales, acuerdos de libre comercio, pactos de gobiernos, gobiernos uniéndose, bloque con bloque.

La Unión Europea surge en 1957, con el nombre de Merca-do Común Europeo, curiosamente con la firma de los Trata-dos de Roma; así, el certificado de nacimiento de la Unión Europea se llama «Tratados de Roma» o sea que en Roma tuvo su origen la Unión Europea, para demostrar el cumpli-miento fidedigno de la profecía bíblica: la profecía dice que no se van a unir; se van a mezclar países fuertes con países débiles, se mezclan, pero no se unen.

La profecía alude a que se harán alianzas humanas, y en la actualidad se unen presidentes con presidentes, gobernado-res con gobernadores, todo esto apunta a que haya un sólo gobierno mundial.

El ex secretario de las Naciones Unidas, el africano Kofi Annan (en funciones de 1997 a 2006), declaró ante varios pre-sidentes algo estremecedor:

«Si no hayamos la paz con urgencia en Oriente Medio, el mundo se incendiará; además, es de imperiosa necesidad que en este tiempo surja un nuevo liderazgo mundial que potencie la unidad de los pueblos, que sea capaz de establecer un nuevo orden mundial para que abra una puerta al mundo, para que haya una nueva era de armonía internacional, que comande el proceso de globalización; no sólo en el área económica, sino que gobierne con leyes más justas la política y la sociedad, instaurando un nuevo régimen para todos los humanos, sin distinción alguna, <u>venga de Dios o del infierno mismo, lo recibiremos con los brazos abiertos</u>». Revista DERZEIT (*Actualidad*) enero del 2006.

Henry Spaak, secretario del Mercado Común Europeo o Unión Europea, dijo en 1970:

«No necesitamos otro comité. Ya tenemos demasiados. Lo que queremos es un hombre de suficiente importancia para mantener la lealtad de todas las personas, y para sacarnos del laberinto económico en que nos estamos hundiendo. Ya sea nos los envíe Dios o el diablo, lo recibiremos».

Actualmente se oyen crisis económicas por diferentes lugares del mundo, seguramente muchas de estas crisis son provocadas intencionalmente para provocar la necesidad de un gobierno mundial. Prácticamente se está gestando el apocalipsis frente a nosotros sin darnos cuenta.

<u>La piedra que destruye la estatua</u>: esa piedra representa al Hijo de Dios, quien viene a gobernar el mundo y acabar con el gobierno humano (no es el arrebatamiento).

«Y en los días de estos reyes el Dios del cielo levantará un reino que no será jamás destruido, ni será el reino dejado a otro pueblo; desmenuzará y consumirá a todos estos reinos, pero él permanecerá para siempre, de la manera que viste que del monte fue cortada una piedra, no con mano, la cual desmenuzó el hierro, el bronce, el barro, la plata y el oro. El gran Dios ha mostrado al rey lo que ha de acontecer en lo por venir; y el sueño es verdadero, y fiel su interpretación» (Daniel 2:44-45).

Los diez dedos de los pies representan diez gobernantes en los cuales se recargará el gobierno mundial y estos entregarán el poder a un solo gobernante.

«Y los diez cuernos que has visto, son diez reyes, que aún no han recibido reino; pero por una hora recibirán autoridad como reyes juntamente con la bestia. Estos tienen un mismo propósito, y entregarán su poder y su autoridad a la bestia. Pelearán contra el Cordero, y el Cordero los vencerá, porque él es Señor de señores y Rey de reyes; y los que están con él son llamados y elegidos y fieles» (Apocalipsis 17:12-14).

Tratarán de evitar que esa piedra los golpee, pero no podrán.

«Entonces vi el cielo abierto; y he aquí un caballo blanco, y el que lo montaba se llamaba Fiel y Verdadero, y con justicia juzga y pelea. Sus ojos eran como llama de fuego, y había en su cabeza muchas diademas; y tenía un nombre escrito que ninguno conocía sino él mismo. Estaba vestido de una ropa teñida en sangre; y su nombre es: EL VERBO DE DIOS. Y los ejércitos celestiales, vestidos de lino finísimo, blanco y limpio, le seguían en caballos blancos. De su boca sale una espada aguda, para herir con ella a las naciones, y él las regirá con vara de hierro; y él pisa el lagar del vino del furor y de la ira del Dios Todopoderoso. Y en su vestidura y en su muslo tiene escrito este nombre: REY DE REYES Y SEÑOR DE SEÑORES. Y vi a un ángel que estaba en pie en el sol, y clamó a gran voz, diciendo a todas las aves que vuelan en medio del cielo: Venid, y congregaos a la gran cena de Dios, para que comáis carnes de reyes y de capitanes, y carnes de fuertes, carnes de caballos y de sus jinetes, y carnes de todos, libres y esclavos, pequeños y grandes. Y vi a la bestia, a los reyes de la tierra y a sus ejércitos, reunidos para guerrear contra el que montaba el caballo, y contra su ejército. Y la bestia fue apresada, y con ella el falso profeta que había hecho delante de ella las señales con las cuales había engañado a los que recibieron la marca de la bestia, y habían adorado su imagen. Estos dos fueron lanzados vivos dentro de un lago de fuego que arde con azufre. Y los demás fueron muertos con la espada que salía de la boca del que montaba el caballo, y todas las aves se saciaron de las carnes de ellos» (Apocalipsis 19:11-21)

«Y vi a la bestia, a los reyes de la tierra y a sus ejércitos, reunidos para guerrear contra el que montaba el caballo, y contra su ejército» (Apocalipsis 19:19).

Esta es la guerra del Armagedón, que da lugar al gobierno del Mesías; más adelante veremos más a detalle esto.

Profecía del templo de Salomón

Dios llamó a Abraham; Abraham tuvo un hijo llamado Isaac; Isaac tuvo un hijo que se llamó Jacob; y a Jacob Dios le cambió el nombre por Israel. Luego Jacob o Israel tuvo doce hijos, quienes fueron cabezas de las tribus de Israel.

Después de esto hubo una gran hambruna y todos ellos fueron a vivir a Egipto, donde fueron esclavos por 400 años. Cuando salieron de Egipto y cruzaron el mar Rojo, Dios le ordena a Moisés construir un tabernáculo, este tabernáculo representaba la presencia de Dios mismo, y desde ahí, Él dictaba leyes e instrucciones y hablaba con Moisés, quien era el líder del pueblo.

Dentro de este tabernáculo, en el lugar santísimo, en el arca del pacto, estaban las tablas con los diez mandamientos, la vara de Aarón que reverdeció y el maná (Hebreos 9:4).

Pasaron los años y llegó el primer rey de Israel: Saúl. Éste es muerto por su desobediencia a Dios al consultar a una adivina. Entonces David se convierte en rey de Israel y dice al profeta Natán: «Mira ahora, yo habito en casa de cedro, y el arca de Dios está entre cortinas». (2 Samuel 7:2).

David tenía en su corazón construir un templo, pero no lo construyó él sino su hijo Salomón, tercer rey de Israel. Con Salomón se construyó un faustuoso templo; un templo realmente hermoso y lujoso. Entonces Dios le dice al rey: (parafraseado) «Mientras ustedes estén en rectitud y obediencia, mi nombre será glorificado en este templo, pero si ustedes desobedecen mis mandamientos, destruiré esta casa o este templo».

Y en efecto, así sucedió, pues fue después de muchos años de vivir en apostasía, en el año de 586 a. C. que vino el rey Nabucodonosor y destruyó totalmente este fastuoso templo, que era hermosísimo (por cierto, el lugar en donde se construyó el templo por primera vez es el mismo donde Abraham llevó a Isaac su hijo para sacrificarlo).

«Comenzó Salomón a edificar la casa de Jehová en Jerusalén, en el monte Moriah, que había sido mostrado a David su padre, en el lugar que David había preparado en la era de Ornán jebuseo» (2 Crónicas 3:1).

«Y dijo: Toma ahora tu hijo, tu único, Isaac, a quien amas, y vete a tierra de Moriah, y ofrécelo allí en holocausto sobre uno de los montes que yo te diré» (Génesis 22:2).

Nabucodonosor se lleva el oro, el bronce y todo lo precioso, y el lugar queda totalmente destruido. Bajo el liderazgo de Zorobabel, el templo es reconstruido en 516 a. C. (el segundo templo); y muchos años después, Herodes el Grande lo renueva y lo vuelve a dar a los judíos (porque para los judíos este era el lugar donde la gente se encontraba con Dios y allí oraban al Creador). Éste es el templo al cual Jesús se refería cuando dijo que no quedaría piedra sobre piedra.

La profecía de Jesús se cumplió en el año 70 d.C., cuando los romanos derribaron el templo por segunda vez, esta vez al mando del general Tito, y lo único que quedó es el muro que se conoce en la actualidad como el Muro de los Lamentos, donde los judíos ortodoxos van y oran (constantemente podemos ver escenas de este muro en las noticias actuales). Después de la destrucción del templo, Israel se vuelve a quedar sin patria, pues se fueron al exilio, dispersándose por todo el mundo. Actualmente, en ese lugar, se encuentra una mezquita árabe muy famosa que identifica a Israel en la mayor parte de las fotografías turísticas.

El libro de Apocalipsis nos revela que durante el periodo de la tribulación habrá un tercer templo en Jerusalén (construido por los judíos) en el cual se marcarán muchos eventos proféticos de transcendental importancia (Apocalipsis 11:1-2).

Es así como en el libro de Ezequiel, en los capítulos cuarenta y cuarenta y uno podemos leer las instrucciones que Dios dio para construir dicho templo, proporcionando áreas y medidas exactas además de todos los utensilios que deberían ser usados.

Hay un documental en internet de los avances que tiene el pueblo judío respecto al tema, prácticamente lo que falta es el lugar, que actualmente está ocupado por los árabes y es donde está la mezquita dorada, ahí se tiene que construir el templo (monte Moriah).

En este templo se realizaban los sacrificios para el perdón de los pecados antes que el Señor Jesucristo se entregara a sí mismo como el Cordero Santo. La gente iba al templo con su cordero en buenas condiciones, Dios requería el sacrificio de animales.

«Y le quitará toda su grosura, como fue quitada la grosura del sacrificio de paz, y el sacerdote la hará arder en el altar sobre la ofrenda encendida a Jehová; y le hará el sacerdote expiación de su pecado que habrá cometido, y será perdonado» (Levítico 4:35).

«Y del otro hará holocausto conforme al rito; así el sacerdote hará expiación por el pecado de aquel que lo cometió, y será perdonado» (Levítico 5:10).

«Llamó Jehová a Moisés, y habló con él desde el tabernáculo de reunión, diciendo: Habla a los hijos de Israel y diles: Cuando alguno de entre vosotros ofrece ofrenda a Jehová, de ganado vacuno u ovejuno haréis vuestra ofrenda. Si su ofrenda fuere holocausto vacuno, macho sin defecto lo ofrecerá; de su voluntad lo ofrecerá a la puerta del tabernáculo de reunión delante de Jehová. Y pondrá su mano sobre la cabeza del holocausto, y será aceptado para expiación suya» (Levítico 1:1-4).

Cuando se construya el templo por tercera vez, volverán los sacrificios al templo, porque los judíos ortodoxos piensan que el Mesías no ha venido y lo siguen esperando; por lo tanto, para ellos son necesarios los sacrificios de animales para el perdón de los pecados. En los avances del templo ya se tiene el animal perfecto para realizar el primer sacrificio: una vaca roja.

«Y se levantarán de su parte tropas que profanarán el santuario y la fortaleza, y quitarán el continuo sacrificio, y pondrán la abominación desoladora (en tiempos del anticristo)» (Daniel 11:31).

Esta profecía nos explica primeramente que el templo ya estará construido y que el anticristo entrará por la fuerza al templo y se interrumpirán los sacrificios que los judíos realizarán de acuerdo con la ley de Moisés; el anticristo querrá ser adorado desde el templo construido para Dios.

«Hijo de hombre, di al príncipe de Tiro: Así ha dicho Jehová el Señor: Por cuanto se enalteció tu corazón, y dijiste: Yo soy un dios, en el trono de Dios estoy sentado en medio de los mares (siendo tú hombre y no Dios), y has puesto tu corazón como corazón de Dios» (Ezequiel 28:2).

Ezequiel confirmó que el anticristo va a querer ser adorado desde el templo.

«Y ahora vosotros sabéis lo que lo detiene [la iglesia], a fin de que a su debido tiempo se manifieste. Porque ya está en acción el misterio de la iniquidad; sólo que hay quien al presente lo detiene, hasta que él a su vez sea quitado de en medio [la iglesia]. Y entonces se manifestará aquel inicuo, a quien el Señor matará con el espíritu de su boca, y destruirá con el resplandor de su venida» (2 Tesalonicenses 2:6-8).

El hombre de pecado se manifestaría cuando la iglesia ya no esté aquí y esto dará lugar a nuestro próximo tema, *El arrebatamiento de la iglesia.* ¿Por qué se manifestará cuando ya no esté la Iglesia? porque si la Iglesia ora, su plan se viene abajo.

CONCLUSIÓN DE LAS SEÑALES

Hemos explicado las señales que anteceden al arrebatamiento, todas las profecías que lo anticipan en la Biblia están cumplidas. A continuación, haré un repaso breve de las señales.

Probablemente muchos estén pensando: *Siempre hemos tenido terremotos y falsos profetas, y siempre hemos tenido maldad, la única diferencia es que ahora nos enteramos más rápido por los medios de información.*

Para ellos tengo un comentario: nunca en la historia de la humanidad —después de que Cristo ascendió a los cielos— se han conjugado todas estas señales. Todas las señales están cumplidas, el nivel de maldad en el mundo es un indicador de que Dios hará juicio pronto. La iglesia de Jesucristo se está contaminando tanto, que el arrebatamiento es un escape para que no se pierdan más almas. En la actualidad hay mucho desequilibrio espiritual, si Jesús no viene pronto, la iglesia se puede perder; estamos en tiempo extra, y ponerse a cuentas con Dios no tiene precio. Dios quiere que te arrepientas y pidas perdón por tus pecados y busques una relación personal con Él, y busques agradarlo; tienes que orar a Dios, ayunar, leer la Palabra de Dios; tienes que aprender a evaluar y discernir lo que viene de Dios y lo que viene del diablo, así es como se llega al conocimiento de la verdad.

Actualmente, las personas tienen necesidad de Dios y no lo encuentran por culpa de predicadores homicidas que no predican la sana doctrina; las personas han perdido la dirección del Espíritu Santo y creen que la Iglesia lo va a suplir, esto <u>es un error</u>. La Iglesia (la religión) no suple al Espíritu Santo, la Iglesia *recibe* el Espíritu Santo. La salvación es individual, una relación con Dios sana te lleva a ser guiado por el Espíritu Santo.

Jesucristo tiene todo preparado para las bodas del Cordero, pero la Iglesia no está preparada, ella misma está poniendo pretextos para no asistir a las bodas. <u>Las almas es el gran tesoro de Jesucristo</u>.

Hoy en día las iglesias buscan su propia satisfacción y esto las convierte en iglesias frías o tibias. Muchas iglesias están enfocadas en llenar templos, cuando lo que tenemos que hacer es llenar el cielo.

El diablo no puede evitar el arrebatamiento, pero si puede evitar que las almas se salven; ese es su trabajo.

¿Quién es digno de entrar a las bodas del Cordero?

⇒ El que ama a Dios

⇒ El que hace la voluntad de Dios

⇒ El que cambia sus planes para hacer la voluntad de Dios. Este tipo de personas <u>son dignas</u>.

El arrebatamiento es el evento más importante para la Iglesia; tristemente los pastores lo han dejado de predicar.

En este capítulo he estado explicando las señales que anteceden al arrebatamiento; todas las profecías que lo anticipan en la Biblia están cumplidas. Daremos ahora un repaso de las señales:

- Los viajes y ciencia aumentarán.
- Terremotos en diferentes lugares.
- Derramamiento del Espíritu Santo sobre toda carne.

- Prodigios en el cielo.
- Identificación de los tiempos.
- La expresión: «Comamos y bebamos que mañana moriremos».
- Granizos en el cielo.
- Inmoralidad sexual.
- La apostasía.
- La multiplicación de la humanidad.
- Guerras y rumores de guerras.
- Falsos profetas.
- El evangelio será predicado en todo el mundo.
- El bramido del mar.
- La profecía sobre Israel.
- La estatua de Nabucodonosor.
- La profecía del templo de Salomón.

Además de todo esto vendrán pestes (como lo ocurrido recientemente: el COVID-19); y todo esto será principio de dolores. La iglesia vive el principio de dolores (Mateo 24:7-8), pero no estará aquí cuando venga la tribulación. Cuando la iglesia vea el cumplimiento de las señales, su actitud debe ser la mencionada en Lucas 21:28.

CAPÍTULO 8

El arrebatamiento de la Iglesia

¿Qué significa arrebatamiento? Significa, *ser tomado de golpe*. El arrebatamiento es la traslación de millones de personas a los cielos en los días venideros y está acompañado con otro evento paralelo: la resurrección de millones de personas que antes de morir pidieron a Dios perdón por sus pecados y aceptaron a Cristo como su Señor y Salvador.

«He aquí, os digo un misterio: No todos dormiremos; pero todos seremos transformados, en un momento, en un abrir y cerrar de ojos, a la final trompeta; porque se tocará la trompeta, y los muertos serán resucitados incorruptibles, y nosotros seremos transformados. Porque es necesario que esto corruptible se vista de incorrupción, y esto mortal se vista de inmortalidad» (1 Corintios 15:51-53).

El arrebatamiento es la antesala del apocalipsis, es decir, de los juicios de Dios.

«Tampoco queremos, hermanos, que ignoréis acerca de los que duermen, para que no os entristezcáis como los otros que no tienen esperanza. Porque si creemos que Jesús murió y resucitó, así también traerá Dios con Jesús a los que durmieron en él. Por lo cual os decimos esto en palabra del Señor: que nosotros que vivimos, que habremos quedado hasta la venida del Señor, no precederemos a los que durmieron. Porque el Señor mismo con voz de mando, con voz de arcángel, y con trompeta de Dios, descenderá del cielo; y los muertos en Cristo resucitarán primero. Luego nosotros los que vivimos, los que hayamos quedado, seremos arrebatados juntamente con ellos en las nubes para recibir al Señor en el aire, y así estaremos siempre con el Señor. Por tanto, alentaos los unos a los otros con estas palabras» (1 Tesalonicenses 4:13-18).

«Asimismo como sucedió en los días de Lot; comían, bebían, compraban, vendían, plantaban, edificaban; mas el día en que Lot salió de Sodoma, llovió del cielo fuego y azufre, y los destruyó a todos. Así será el día en que el Hijo del Hombre se manifieste» (Lucas 17:28-30).

«Bienaventurados los que lavan sus ropas, para tener derecho al árbol de la vida, y para entrar por las puertas en la ciudad» (Apocalipsis 22:14).

«No se turbe vuestro corazón; creéis en Dios, creed también en mí. En la casa de mi Padre muchas moradas hay; si así no fuera, yo os lo hubiera dicho; voy, pues, a preparar lugar para vosotros. Y si me fuere y os preparare lugar, vendré otra vez, y os tomaré a mí mismo, para que donde yo estoy, vosotros también estéis. Y sabéis a dónde voy, y sabéis el camino. Le dijo Tomás: Señor, no sabemos a dónde vas; ¿cómo, pues, podemos saber el camino? Jesús le dijo: Yo soy el camino, y la verdad, y la vida; nadie viene al Padre, sino por mí» (Juan 14:1-6).

Tenemos siete arrebatamientos documentados en la Biblia. Cinco de ellos ya ocurrieron y los dos restantes sucederán en breve. Estas personas (las que fueron arrebatadas) fueron trasladadas al tercer cielo sin experimentar la muerte física.

El primer cielo es el de las aves, el segundo cielo es el de los astros y el tercer cielo es donde Dios tiene morada preparada para nosotros.

A continuación, detallaremos los arrebatamientos registrados en la Biblia:

El primer arrebatamiento de la Biblia lo protagoniza Enoc

Enoc vivió en la sociedad pre diluviana y fue llevado vivo a los cielos antes del diluvio. Este hombre desapareció de la tierra.

«Vivió Enoc sesenta y cinco años, y engendró a Matusalén. [El hombre más longevo mencionado en la Biblia] Y caminó Enoc con Dios, después que engendró a Matusalén, trescientos años, y engendró hijos e hijas. Y fueron todos los días de Enoc trescientos sesenta y cinco años. Caminó, pues, Enoc con Dios, y desapareció, porque le llevó Dios» (Génesis 5:21-24).

Enoc fue trasladado vivo al cielo porque Dios así lo quiso.

¿POR QUÉ FUE ARREBATADO ENOC?

«Por la fe Enoc fue traspuesto para no ver muerte, y no fue hallado, porque lo traspuso Dios; y antes que fuese traspuesto, tuvo testimonio de haber agradado a Dios» (Hebreos 11:5).

Los historiadores dicen que Enoc fue el primer profeta de Dios; inclusive, hay un libro apócrifo llamado Libro de Enoc. *Éste* narra todo lo que sucedió a Enoc y todo lo que le acontecerá al mundo hasta el final de los tiempos. Aunque el Libro de Enoc no es del todo confiable, lo cierto es que, este personaje es real, existió y fue trasladado vivo al cielo.

El segundo arrebatamiento de la Biblia lo protagoniza Elías

Elías fue un tremendo hombre de Dios, un gran profeta de Israel; el que combatió contra los profetas de Baal, el que oró para cerrar el cielo y que no lloviera; volvió a orar y Dios envió la lluvia. Elías fue tan poderoso en Dios, que ¡hasta levantó muertos!

Encontrándose Elías y Eliseo cerca del río Jordán esto fue lo que pasó:

«Y aconteció que yendo ellos y hablando, he aquí un carro de fuego con caballos de fuego apartó a los dos; y Elías subió al cielo en un torbellino» (2 Reyes 2:11).

Elías se fue vivo al cielo, subió a un carruaje de fuego y se quedó Eliseo en su lugar.

Es interesante lo que sucede en el versículo 9: Eliseo pide una doble porción del espíritu de Elías. No pidió un caballo, una casa, dinero, le pidió ¡una doble porción del espíritu de

Elías! Nosotros podemos pedir a Dios el Espíritu Santo y el Señor no nos lo negará (vean lo que dice Lucas 11:13):

«Pues si vosotros, siendo malos, sabéis dar buenas dádivas a vuestros hijos, ¿cuánto más vuestro Padre celestial dará el Espíritu Santo a los que se lo pidan?».

También podemos pedir sabiduría a Dios (vean lo que dice Santiago 1:5):

«Y si alguno de vosotros tiene falta de sabiduría, pídala a Dios, el cual da a todos abundantemente y sin reproche, y le será dada. Pero pida con fe, no dudando nada; porque el que duda es semejante a la onda del mar, que es arrastrada por el viento y echada de una parte a otra».

Pero tenemos otro tipo de sabiduría que no viene de Dios y tenemos que tener cuidado con desarrollarla.

«Pero si tenéis celos amargos y contención en vuestro corazón, no os jactéis, ni mintáis contra la verdad; porque esta sabiduría no es la que desciende de lo alto, sino terrenal, animal, diabólica» (Santiago 3:14-15).

El tercer arrebatamiento de la Biblia es del mismísimo Jesús

Veamos lo que dice Apocalipsis 12:5:

«Y ella dio a luz un hijo varón, que regirá con vara de hierro a todas las naciones; y su hijo fue arrebatado para Dios y para su trono».

Analicemos el versículo. Y ella se refiere a la nación de Israel, que da a luz al Mesías, quien fue arrebatado. ¿Cuándo fue arrebatado el Hijo de Dios? La misma Biblia lo dice:

«Pero recibiréis poder, cuando haya venido sobre vosotros el Espíritu Santo, y me seréis testigos en Jerusalén, en toda Judea, en Samaria, y hasta lo último de la tierra. Y habiendo dicho estas cosas, viéndolo ellos, <u>fue alzado, y le recibió una nube que le ocultó de sus ojos</u>. Y estando ellos con los ojos puestos en el cielo, entre tanto que él se iba, he aquí se pusieron junto a ellos dos varones con vestiduras blancas, los cuales también les dijeron: Varones galileos, ¿por qué estáis mirando al cielo? Este mismo Jesús, que ha sido tomado de vosotros al cielo, así vendrá como le habéis visto ir al cielo» (Hechos 1:8-11).

Luego de su resurrección de entre los muertos, el Señor Jesús ascendió al cielo, es decir, fue llevado vivo al cielo.

Felipe fue teletransportado

En todos los casos de arrebatamiento que hemos visto, las personas se han ido al cielo, pero tenemos un caso de teletransportación en la Biblia.

Felipe fue tomado de un lugar y apareció en otro.

«Cuando subieron del agua, el Espíritu del Señor arrebató a Felipe; y el eunuco no le vio más, y siguió gozoso su camino. Pero <u>Felipe se encontró en Azoto</u>; y pasando, anunciaba el evangelio en todas las ciudades, hasta que llegó a Cesarea» (Hechos 8:39-40).

El caso de Saulo de Tarso (Pablo)

«Conozco a un hombre en Cristo, que hace catorce años (si en el cuerpo, no lo sé; si fuera del cuerpo, no lo sé; Dios lo sabe) fue arrebatado <u>hasta el tercer cielo</u>» (2 Corintios 12:2).

Es importante aclarar lo siguiente: tenemos tres paraísos documentados en la Biblia: el <u>primer paraíso</u> fue terrenal (donde estuvieron Adán y Eva, el Edén); al <u>segundo paraíso</u> se le llamó «seno de Abraham» donde iban los justos antes de que Jesús viniera a la tierra, y que con su sangre, abriera el camino para entrar al cielo; antes de este grandioso acto de amor, la gente cuando moría, iba al seno de Abraham (Lázaro y el rico nos retrata esto; también el caso de Saúl primer rey de Israel); y el tercer paraíso lo menciona Pablo en el versículo que acabamos de leer, Pablo fue arrebatado al tercer cielo.

Saulo de Tarso fue a donde está el trono de Dios y regresó y no se le autorizó hablar de lo que oyó y vio.

El sexto arrebatamiento será el de la iglesia

Después del arrebatamiento de la iglesia, inmediatamente empezarán los juicios de Dios sobre la tierra. Viene una etapa de sufrimiento como jamás la ha habido en la historia de la humanidad; cuando esto pase seguro el mundo tratará de dar una explicación a este acontecimiento, inclusive, podrá haber algunos que argumenten que los extraterrestres se llevaron a las personas.

En el mundo espiritual —el invisible—, habrá una batalla. Satanás no estará de acuerdo en que se lleven a personas que él consideraba que eran suyas y querrá tomar el cielo por asalto, esto lo explica el pasaje de Apocalipsis 12:7-12

«Después hubo una gran batalla en el cielo: Miguel y sus ángeles luchaban contra el dragón; y luchaban el dragón y sus ángeles; pero no prevalecieron, ni se halló ya lugar para ellos en el cielo. Y fue lanzado fuera el gran dragón, la serpiente antigua, que se llama diablo y Satanás, el cual engaña al mundo entero; fue arrojado a la tierra, y sus ángeles fueron arrojados con él. Entonces oí una gran voz en el cielo, que decía: Ahora ha venido la salvación, el poder, y el reino de nuestro Dios, y la autoridad de su Cristo; porque ha sido lanzado fuera el acusador de nuestros hermanos, el que los acusaba delante de nuestro Dios día y noche. Y ellos le han vencido por medio de la sangre del Cordero y de la palabra del testimonio de ellos, y menospreciaron sus vidas hasta la muerte. Por lo cual alegraos, cielos, y los que moráis en ellos. ¡Ay de los moradores de la tierra y del mar! <u>porque el diablo ha descendido a vosotros con gran ira, sabiendo que tiene poco tiempo</u>».

El sufrimiento en la tierra será aterrador, debido a que la ira de Dios y la ira de Satanás se juntan como lo explica el versículo 12: *porque el diablo ha descendido a vosotros con gran ira, sabiendo que le queda poco tiempo.*

Los dos testigos

Los dos testigos (posiblemente Elías y Moisés, pero la Biblia no dice quienes) predicarán la Palabra dentro del tiempo en que los juicios de Dios se desatarán sobre la tierra. Pero luego de ser muertos y de resucitar, sus cuerpos serán llevados vivos al cielo para Dios.

> «Pero después de tres días y medio entró en ellos el espíritu de vida enviado por Dios, y se levantaron sobre sus pies, y cayó gran temor sobre los que los vieron. Y oyeron una gran voz del cielo, que les decía: Subid acá. <u>Y subieron al cielo en una nube; y sus enemigos los vieron</u>. En aquella hora hubo un gran terremoto, y la décima parte de la ciudad se derrumbó, y por el terremoto murieron en número de siete mil hombres; y los demás se aterrorizaron, y dieron gloria al Dios del cielo» (Apocalipsis 11:11-13).

La iglesia no pasará por la tribulación

El tema sobre si la iglesia pasará por la tribulación es polémico en las iglesias; la Biblia enseña que la iglesia no estará en la tribulación y sustentaré algunos puntos para demostrarlo:

> «El justo es librado de la tribulación; Mas el impío entra en lugar suyo» (Proverbios 11:8).

Los juicios que Dios derrama sobre la tierra son consecuencia de su ira por el pecado, por la malicia y la maldad;

así que, Él no dejará que su iglesia amada viva este periodo, esos siete años de gran sufrimiento.

> «Porque ellos mismos cuentan de nosotros la manera en que nos recibisteis, y cómo os convertisteis de los ídolos a Dios, para servir al Dios vivo y verdadero, y esperar de los cielos a su Hijo, al cual resucitó de los muertos, a Jesús, quien nos libra de la ira venidera» (1 Tesalonicenses 1:9-10).

> «Pues mucho más, estando ya justificados en su sangre, por él seremos salvos de la ira» (Romanos 5:9).

> «Velad, pues, en todo tiempo orando que seáis tenidos por dignos de escapar de todas estas cosas que vendrán, y de estar en pie delante del Hijo del Hombre» (Lucas 21:36).

> «Por cuanto has guardado la palabra de mi paciencia, yo también te guardaré de la hora de la prueba que ha de venir sobre el mundo entero, para probar a los que moran sobre la tierra» (Apocalipsis 3:10).

La palabra iglesia no aparece en el libro de Apocalipsis del capítulo 6 al 19, donde se describen todas las calamidades por las que pasará el mundo en la tribulación.

> «Y si no perdonó al mundo antiguo, sino que guardó a Noé, pregonero de justicia, con otras siete personas, trayendo el diluvio sobre el mundo de los impíos; y si condenó por destrucción a las ciudades de Sodoma y de Gomorra, reduciéndolas a ceniza y poniéndolas de ejemplo a los que habían de vivir impíamente, y libró al justo Lot, abrumado por la nefanda conducta de los malvados (porque este justo, que moraba entre ellos, afligía cada día su alma justa, viendo y oyendo los hechos inicuos de ellos)» (2 Pedro 2:5-8).

Así como Dios libró a Noé con su familia y como libró a Lot, Dios también librará a los justos (la Iglesia pura y sin mancha) del juicio.

> «Perece el justo, y no hay quien piense en ello; y los piadosos mueren, y no hay quien entienda que de delante de la aflicción es quitado el justo» (Isaías 57:1).

Ya mencionamos que en Dios no hay sombra de variación, y en Hebreos 13:8 dice:

«Jesucristo es el mismo ayer, y hoy, y por los siglos».

Dios, en su soberanía, en su gran sabiduría, con su carácter santo, puro, perfecto y misericordioso, no permitirá que sus hijos entren al gran juicio preparado para la humanidad desde antes de la fundación del mundo. ¿Cómo puedes estar seguro de que te irás en el arrebatamiento?

- Si lees la Biblia, meditas en ella y tienes hambre de conocer cada vez más de lo que ahí dice.
- Si oras constantemente, si te gusta hablar con Dios.
- Si le hablas a la gente de Cristo.

Eso significa que eres hijo de Dios y te irás con Cristo, en el arrebatamiento. Pero la hora y la fecha nadie la sabe, sólo Dios:

«Pero de aquel día y de la hora nadie sabe, ni aun los ángeles que están en el cielo, ni el Hijo, sino el Padre. Mirad, velad y orad; porque no sabéis cuándo será el tiempo» (Marcos 13:32-33).

LOS PROPÓSITOS POR LOS CUALES DIOS DISEÑÓ EL ARREBATA-MIENTO:

⇒ Para que la Iglesia escape de su ira, la cual será derramada sobre la tierra.

⇒ Para que nuestros cuerpos sean trasformados en cuerpos glorificados.

⇒ Para ir al tribunal de Cristo a comparecer por las cosas buenas y malas que hicimos mientras estábamos en el cuerpo.

⇒ Para traer a todos los muertos en Cristo (los que fueron desde que Él resucitó) resucitándolos a ellos también.

Las palabras del apóstol Pablo —cuando habla del arrebatamiento— nos revelan que Dios traerá con Jesús a los que durmieron en él; que los muertos en Cristo resucitaran primero, y que no todos moriremos, pero que todos seremos trasformados.

La gran tribulación

El libro de Apocalipsis es el libro de la revelación. Fue escrito por el apóstol Juan, el último libro escrito por el profeta.

El Apocalipsis no se puede entender si no entiendes el libro de Daniel (el apocalipsis del Antiguo Testamento).

> «Bienaventurado el que lee, y los que oyen las palabras de esta profecía, y guardan las cosas en ella escritas; porque el tiempo está cerca» (Apocalipsis 1:3).

El Apocalipsis no se acaba con el fin del mundo, si no con la victoria de la Iglesia, no es un libro para sembrar temor. Tiene tres tipos de lenguaje: literal, simbólico y espiritual.

Es un libro que todavía no se cumple, solamente los tres primeros capítulos hablan de iglesias que ya existieron y que su existencia está comprobada. También representan etapas por las que pasarán las iglesias actuales (Las cartas a las siete iglesias).

Se escribió en tiempo pasado, pero aún no se ha cumplido; no es un libro histórico, es profético, cuando dicen que el libro es histórico anulan la validez de Daniel, Isaías, Jeremías, Oseas, Habacuc, etc.

No es un libro cronológico, las profecías escritas tienen lugar en diferentes tiempos, pero está concatenado en su mensaje. Este libro termina diciendo que nadie puede añadir ni modificar las palabras de esa revelación, porque será duramente castigado. Lo que podamos ver en las películas de Hollywood no es comparable, ni siquiera dan una pequeña idea de lo que se va a vivir cuando empiece el apocalipsis.

La realidad es que las iglesias hoy en día no quieren hablar de estas partes de la Biblia; pero nuestro Señor Jesucristo, los apóstoles y los profetas advirtieron sobre estas cosas, identificando ese tiempo como el peor en la historia de la humanidad. Jesucristo dijo respecto a esto:

«Porque habrá entonces gran tribulación, cual no la ha habido desde el principio del mundo hasta ahora, ni la habrá» (Mateo 24:21).

Daniel dijo:

«En aquel tiempo se levantará Miguel, el gran príncipe que está de parte de los hijos de tu pueblo; y será tiempo de angustia, cual nunca fue desde que hubo gente hasta entonces; pero en aquel tiempo será libertado tu pueblo, todos los que se hallen escritos en el libro» (Daniel 12:1).

Joel habló de este tiempo en estos términos:

«El sol se convertirá en tinieblas, y la luna en sangre, antes que venga el día grande y espantoso de Jehová. Y todo aquel que invocare el nombre de Jehová será salvo; porque en el monte de Sion y en Jerusalén habrá salvación, como ha dicho Jehová, y entre el remanente al cual él habrá llamado» (Joel 2:31-32).

Amos lo describió de la siguiente manera:

«¡Ay de los que desean el día de Jehová! ¿Para qué queréis este día de Jehová? Será de tinieblas, y no de luz; como el que huye de delante del león, y se encuentra con el oso; o como si entrare en casa y apoyare su mano en la pared, y le muerde una culebra. ¿No será el día de Jehová tinieblas, y no luz; oscuridad, que no tiene resplandor?» (Amos 5:18-20).

Sofonías advirtió que el dinero no ayudará en nada:

«Ni su plata ni su oro podrá librarlos en el día de la ira de Jehová, pues toda la tierra será consumida con el fuego de su celo; porque ciertamente destrucción apresurada hará de todos los habitantes de la tierra» (Sofonías 1:18).

Zacarias dijo que dos terceras partes de la humanidad se perderán durante este periodo:

«Y acontecerá en toda la tierra, dice Jehová, que las dos terceras partes serán cortadas en ella, y se perderán; más la tercera quedará en ella» (Zacarias 13:8).

Los juicios de Dios en la tierra

La *gran tribulación* es descrita en la Biblia como el peor tiempo de la historia. La Palabra de Dios dice que llegará el día en que Dios decidirá hacer juicio en contra de los humanos.

La tribulación es una combinación de la ira de Dios y la ira del diablo (porque le queda poco tiempo de dominio en la tierra). En uno de los juicios de Dios a los hombres dice que será tan grande el nivel de sufrimiento, que buscarán la muerte y no la hallarán.

Cuando el arrebatamiento tenga lugar, el mundo entrará en un caos total, porque millones de personas desaparecerán. Esto propiciará el surgimiento del anticristo, quien llegará como un salvador para la humanidad.

Los temas que veremos en este capítulo son:

- Primer sello: surgimiento del anticristo.
- La gran ramera.
- Segundo sello: Tercera Guerra Mundial.
- Tercer sello: hambruna.
- Cuarto sello: las almas claman venganza.
- Quinto sello: un gran terremoto, los cielos serán conmovidos.
- Sexto sello: abre el camino a las siete trompetas.
- Primera trompeta: se ataca a la naturaleza.
- Segunda trompeta: se ataca a los mares.
- Tercera trompeta: se ataca a los ríos.
- Cuarta trompeta: se ataca al sol, la luna y las estrellas.
- Quinta trompeta: los demonios atacan a las personas.
- Sexta trompeta: un ejército de 200 millones mata a la tercera parte de la humanidad.
- Séptima trompeta: se juzgará a los muertos y habrá terremotos.
- Los 144,000.
- Primera copa: enfermedad.
- Segunda Copa: el mar se convierte en sangre.
- Tercera copa: los ríos se convierten en sangre.
- Cuarta copa: se ataca al sol y se quema la gente.

- Quinta copa: se ataca al trono de la bestia.
- Sexta copa: se seca el río Éufrates y da lugar al Armagedón.
- El Armagedón.
- El glorioso regreso del Mesías a Israel.
- Diferencia entre el arrebatamiento y la segunda venida.
- Los juicios de Dios no están en orden cronológico.

LOS SELLOS DEL APOCALIPSIS

Primer sello: el anticristo

«Vi cuando el Cordero abrió uno de los sellos, y oí a uno de los cuatro seres vivientes decir como con voz de trueno: Ven y mira. Y miré, y he aquí un caballo blanco; y el que lo montaba tenía un arco; y le fue dada una corona, y salió venciendo, y para vencer» (Apocalipsis 6:1-2).

Este primer sello se refiere al anticristo y es importante mencionar que, así como con el arrebatamiento no se sabe la hora ni la fecha, tampoco nadie sabe quién eso será la persona del anticristo. ¿Qué significa anticristo? El anticristo se opone a Cristo, a su persona y a su obra redentora.

«¿Quién es el mentiroso, sino el que niega que Jesús es el Cristo? Este es anticristo, el que niega al Padre y al Hijo. Todo aquel que niega al Hijo, tampoco tiene al Padre. El que confiesa al Hijo, tiene también al Padre» (1 Juan 2:22-23).

El anticristo buscará suplantar a Dios. Toda aquella persona que no cree en Cristo de alguna manera tiene el espíritu del anticristo.

El anticristo ya está en el mundo, empezó desde que Cristo nació y todos los que se rebelaron contra el Mesías tienen este espíritu inmundo.

Los ateos son anticristos.

«Dice el necio en su corazón: No hay Dios. Se han corrompido, hacen obras abominables; No hay quien haga el bien»
(Salmos 14:1).

Han existido personas a través de la historia que han pro-
clamado ser Cristo; como David Koresh, de Waco Texas, un
caso muy mencionado, cuyos seguidores lo consideraron su
profeta final. También el caso de José Luis Miranda, quien
abiertamente declaraba que era Jesucristo reencarnado; estos
íntentaron ser adorados como Dios.

«Respondiendo Jesús, les dijo: Mirad que nadie os engañe.
Porque vendrán muchos en mi nombre, diciendo: Yo soy el
Cristo; y a muchos engañarán» (Mateo 24:4-5).

Hay personas que aceptaron a Jesús como su Salvador y
después apostataron (se vuelven atrás) de la fe. Algunos que
llegaron a convertirse en falsos profetas empezaron con buenas intenciones, pero les ganó la avaricia. También puede estar el espíritu del anticristo dentro de la misma iglesia, hay
personas que al escuchar el mensaje de Dios se emocionan y
conmueven, pero luego, al salir a la calle, se alejan del Señor,
desarrollando el espíritu del anticristo; estos son aquellos
que, conociendo la Palabra de Dios, no la obedecen.

«Hijitos, ya es el último tiempo; y según vosotros oísteis que
el anticristo viene, así ahora han surgido muchos anticristos;
por esto conocemos que es el último tiempo. Salieron de nosotros, pero no eran de nosotros; porque si hubiesen sido de
nosotros, habrían permanecido con nosotros; pero salieron
para que se manifestase que no todos son de nosotros» (1
Juan 2:18-19).

Hay una <u>advertencia terrible</u> para todas aquellas personas
que apostatan de la fe.

«... Pero les ha acontecido lo del verdadero proverbio: El perro vuelve a su vómito, y la puerca lavada a revolcarse en el cieno» (2 Pedro 2:20-22).

El anticristo será un personaje en la historia que reencarnará toda la maldad del mundo y del infierno. El anticristo surgirá después del arrebatamiento.

Éste es el personaje del jinete del caballo blanco mencionado en Apocalipsis 6:2. Algunos predicadores y teólogos han dicho erróneamente que se trata de Jesús, que viene a recoger a la iglesia; sin embargo, el jinete que monta el caballo blanco es el anticristo, quien vencerá con un programa de paz y seguridad para el conflicto del Oriente Medio y del mundo entero.

Pero aparece otro jinete en caballo blanco en Apocalipsis 19:11. Éste sí es el Mesías; y aparece, no para el arrebatamiento, sino que viene por segunda vez para establecer su reino en la tierra, este es un tema que veremos después.

«Entonces vi el cielo abierto; y he aquí un caballo blanco, y el que lo montaba se llamaba Fiel y Verdadero, y con justicia juzga y pelea. Sus ojos eran como llama de fuego, y había en su cabeza muchas diademas; y tenía un nombre escrito que ninguno conocía sino él mismo. Estaba vestido de una ropa teñida en sangre; y su nombre es: EL VERBO DE DIOS. Y los ejércitos celestiales, vestidos de lino finísimo, blanco y limpio, le seguían en caballos blancos. De su boca sale una espada aguda, para herir con ella a las naciones, y él las regirá con vara de hierro; y él pisa el lagar del vino del furor y de la ira del Dios Todopoderoso. Y en su vestidura y en su muslo tiene escrito este nombre: REY DE REYES Y SEÑOR DE SEÑORES. Y vi a un ángel que estaba en pie en el sol, y clamó a gran voz, diciendo a todas las aves que vuelan en medio del cielo: Venid, y congregaos a la gran cena de Dios» (Apocalipsis 19:11-17).

¿Por qué creemos que el anticristo será judío? Israel, pueblo escogido de Dios, no aprueba en su mayoría a Jesucristo, ellos siguen esperando al Mesías, quien viene de la simiente de Abraham, por la línea de Isaac, de Jacob, de la tribu de Judá y descendiente de David.

«A lo suyo vino, y los suyos no le recibieron» (Juan 1:11).

«Yo he venido en nombre de mi Padre, y no me recibís; si otro viniere en su propio nombre, a ése recibiréis» (Juan 5:43).

Jesucristo está diciendo que a Él no lo aceptarán, pero si aceptarán a otro.

Israel y los países árabes no han dejado de estar en guerra, la situación del Oriente Medio anhela un salvador para que haya paz y seguridad. La situación política en el Oriente Medio es caldo de cultivo para que este personaje surja.

«Que cuando digan: Paz y seguridad, entonces vendrá sobre ellos destrucción repentina, como los dolores a la mujer encinta, y no escaparán» (1 Tesalonicenses 5:3).

Estas palabras (paz y seguridad) son las que más aparecen en las reuniones de políticos de primer nivel en el mundo; sin embargo, no encuentran la paz por ningún lado.

Observa el caballo blanco, el caballo blanco representa paz; muchos líderes en la historia han tratado de establecer imperios por la fuerza, pero el anticristo usará una estrategia diferente: una falsa paz, así será como detendrá la guerra en el Oriente Medio. Él aparecerá como lobo disfrazado de oveja.

El anticristo será un personaje muy astuto y millonario; será muy persuasivo para atraer a las masas; las naciones le darán su voto de confianza y prácticamente el mundo quedará en sus manos.

«Y miré, y he aquí un caballo blanco; y el que lo montaba tenía un arco; y le fue dada una corona, y salió venciendo, y para vencer» (Apocalipsis 6:2).

La posesión de un arco sin flecha representa paz. Y le fue dada una corona: las naciones unánimemente lo erigirán para gobernar el mundo, el anticristo recibirá poder del mismísimo Satanás.

«Y la bestia que vi era semejante a un leopardo, y sus pies como de oso, y su boca como boca de león. Y el dragón le dio su poder y su trono, y grande autoridad» (Apocalipsis 13:2).

El mismísimo Satanás le da el poder al anticristo.

Para comprobar que el dragón es el diablo, nos vamos a Apocalipsis 12:9:

«Y fue lanzado fuera el gran dragón, la serpiente antigua, que se llama diablo y Satanás, el cual engaña al mundo entero; fue arrojado a la tierra, y sus ángeles fueron arrojados con él».

Éste engañará al mundo con una falsa paz.

PRINCIPALES CARACTERÍSTICAS DEL ANTICRISTO:

El anticristo prometerá hacer un paraíso terrenal, pero sin Dios, también firmará un acuerdo de paz con el pueblo árabe. Es posible que el anticristo ya haya nacido, y sólo esté esperando el arrebatamiento, la iglesia estorba a la aparición del anticristo, pues la iglesia tiene autoridad sobre Satanás.

El anticristo sufrirá un atentado de muerte y resucitará imitando la resurrección del Mesías y el mundo lo admirará y lo adorará.

«Vi una de sus cabezas como herida de muerte, pero su herida mortal fue sanada; y se maravilló toda la tierra en pos de la bestia, y adoraron al dragón que había dado autoridad a la bestia, y adoraron a la bestia, diciendo: ¿Quién como la bestia, y quién podrá luchar contra ella?» (Apocalipsis 13:3-4).

Satanás mismo entrará al cuerpo del anticristo y el mismo reinará el mundo desde ese cuerpo.

«Y se le permitió infundir aliento a la imagen de la bestia, para que la imagen hablase e hiciese matar a todo el que no la adorase» (Apocalipsis 13:15).

«Y se le permitió hacer guerra contra los santos, y vencerlos. También se le dio autoridad sobre toda tribu, pueblo, lengua y nación» (Apocalipsis 13:7).

El anticristo se convertirá en un líder político mundial muy reconocido. Será sumamente persuasivo. El anticristo será un solucionador de problemas e impondrá un solo gobierno mundial.

«También se le dio boca que hablaba grandes cosas y blasfemias; y se le dio autoridad para actuar cuarenta y dos meses. [tres y medio años de paz, y tres y medio de guerra = siete años de tribulación]. Y abrió su boca en blasfemias contra Dios, para blasfemar de su nombre, de su tabernáculo, y de los que moran en el cielo» (Apocalipsis 13:5-6).

El anticristo será muy sabio, será más sabio que Daniel.

«He aquí que tú eres más sabio que Daniel; no hay secreto que te sea oculto» (Ezequiel 28:3).

El anticristo será sabio, millonario y carismático y establecerá un gobierno mundial. El anticristo tomará el trono de Dios en la tierra y exigirá ser adorado.

«Y por otra semana confirmará el pacto con muchos; a la mitad de la semana hará cesar el sacrificio y la ofrenda. Después con la muchedumbre de las abominaciones vendrá el desolador, hasta que venga la consumación, y lo que está determinado se derrame sobre el desolador» (Daniel 9:27).

El anticristo será homosexual y vendrá de padres cristianos.

«Del Dios de sus padres no hará caso, ni del amor de las mujeres; ni respetará a dios alguno, porque sobre todo se engrandecerá» (Daniel 11:37).

El anticristo querrá cambiar los tiempos y la ley; igual que Cristo cambió los tiempos, por lo que ahora decimos antes y después de Cristo; también querrá regir el mundo con otra ley (un sólo orden mundial) y habrá graves consecuencias para quien no le adore.

«Y hablará palabras contra el Altísimo, y a los santos del Altísimo quebrantará, y pensará en cambiar los tiempos y la ley; y serán entregados en su mano hasta tiempo [un año], y tiempos [dos años], y medio tiempo [medio año: en total tres años y medio de Gran tribulación]» (Daniel 7:25).

El imperio del anticristo se está gestando ante nosotros y la tendencia es que un grupo de personas gobierne el mundo, la Biblia establece que diez gobernantes llegarán a controlar todo el mundo, y después, estos gobernantes pasarán el gobierno a uno solo: el anticristo.

«Y los diez cuernos que has visto, son diez reyes, que aún no han recibido reino; pero por una hora recibirán autoridad como reyes juntamente con la bestia» (Apocalipsis 17:12).

Tenemos que estar observando a los líderes mundiales, porque su propósito es entregar el poder al anticristo.

«Estos tienen un mismo propósito, y entregarán su poder y su autoridad a la bestia» (Apocalipsis 17:13).

La gran ramera (Babilonia)

Cristo viene por una Iglesia pura y sin mancha, por una Iglesia virgen que espera el glorioso día del Señor. Pero hay otra

Iglesia impostora, que fornica con los reyes de la tierra, esta Iglesia apoya el surgimiento del anticristo. Los diez cuernos (gobernantes) y la *gran ramera* abren paso al anticristo.

Jesucristo viene por su novia en breve, que es la Iglesia santa y pura y son todos los que confiesan con su boca que Jesucristo es el Señor. La palabra confesar significa que con-fieses a lo largo de tu vida y ante todos.

«que si confesares con tu boca que Jesús es el Señor, y creye-res en tu corazón que Dios le levanto de los muertos, serás salvo» (Romanos 10:9).

Pero la Iglesia que se ha prostituido (*la gran ramera*) pasará por las calamidades descritas en el Apocalipsis e irá a juicio y condenación.

«porque sus juicios son verdaderos y justos; pues ha juzgado a la gran ramera que ha corrompido a la tierra con su forni-cación, y ha vengado la sangre de sus siervos de la mano de ella» (Apocalipsis 19:2).

Dios dice en Apocalipsis, «Babilonia la grande, la madre de las rameras» (Apocalipsis 17:5).

Babilonia significa confusión espiritual y religiosa. Es el satanismo disfrazado de cristianismo, porque mezcla lo satánico con algo de verdad de la Biblia y crea una religión.

La fusión de la política y la religión es veneno para la salvación de las almas, ya que sus intereses son diferentes a los intereses de Dios, esta religión se vale de Dios y crea un imperio. La iglesia por la que viene Cristo no es una religión, son las personas que tienen una relación personal con Dios.

La gran ramera, es la gran prostituta que fornica con los gobernantes de la tierra y arrastrará a la gran mayoría que simpatizan con esta religión. Esta falsa iglesia tiene influencia sobre muchos países.

«Las aguas que has visto donde la ramera se sienta, son pueblos, muchedumbres, naciones y lenguas» (Apocalipsis 17:15).

La gran ramera, la falsa iglesia influencia a muchos países y personas.

«Y la mujer que has visto es la gran ciudad que reina sobre los reyes de la tierra» (Apocalipsis 17:18).

La mujer se refiere a *la gran ramera*, la Iglesia que se prostituye con los presidentes del mundo. Estos están sometidos a la falsa Iglesia.

«Esto, para la mente que tenga sabiduría: Las siete cabezas son siete montes, sobre los cuales se sienta la mujer» (Apocalipsis 17:9).

Este versículo nos da una descripción puntual de cual es esta Iglesia que se prostituye. Nuestro Dios la menciona como *la gran ramera,* estas son palabras mayores, el peor calificativo.

Las siete cabezas son los siete montes, la ciudad de Roma tiene siete cerros.

LAS SIETE COLINAS DE LA ROMA ANTIGUA ERAN:

⇒ El Aventino (*CollisAventinus*), (47 metros de alto).

⇒ El Capitolino (*Capitolinus*, que tenía dos crestas: el *Arx* y el *Capitolium*), (50 metros de alto).

⇒ El Celio (*Caelius*, cuya extensión oriental se llamaba *Caeliolus*), (50 metros de alto).

⇒ El Esquilino (*Esquilinus*, que tenía tres cimas: el *Cispius*, el *Fagutalis* y el *Oppius*), (64 metros de alto).

⇒ El monte Palatino (*CollisPalatinus*, cuyas tres cimas eran: el *Cermalus* o *Germalus*, el *Palatium* y el *Velia*), (51 metros de alto).

⇒ El Quirinal (*Quirinalis*, que tenía tres picos: el *Latiaris*, el *Mucialis* o *Sanqualis*, y el *Salutaris*), (61 metros de alto).

⇒ El Viminal (*Viminalis*), (60 metros de alto).

El Vaticano es un estado o una nación cuya extensión es de cuarenta y cuatro hectáreas. Su presidente —el papa—, y sus ministros —los cardenales—, han formado un imperio económico, los bancos más poderosos están en poder del Vaticano; éste tiene el poder de pagar la deuda de todos los países pobres del mundo, pero no lo hace.

En 1929, se establece como estado. El Vaticano se ha convertido en el país más poderoso del mundo. Su objetivo es extraviar espiritualmente a las personas y poseer un poder mundial.

«Y la mujer estaba <u>vestida de púrpura y escarlata</u>, y adornada de oro, de piedras preciosas y de perlas, y tenía en la mano <u>un cáliz de oro lleno de abominaciones</u> y de la inmundicia de su fornicación» (Apocalipsis 17:4).

Escarlata en sus vestiduras.

«Mercadería de oro, de plata, de piedras preciosas, de perlas, de lino fino, de púrpura, de seda, de escarlata, de toda madera olorosa, de todo objeto de marfil, de todo objeto de madera preciosa, de cobre, de hierro y de mármol» (Apocalipsis 18:12).

Babilonia, la gran ramera, en resumen:

• Se sienta sobre la ciudad de los siete montes.

• Negocia con los reyes de la tierra.

• Reina sobre los reyes de la tierra.

• Se viste de púrpura y escarlata.

• Tienen un cáliz de oro.

• Prohíbe a sus sacerdotes casarse.

La Iglesia católica, a través de la historia ha establecido doctrinas desviadas del evangelio que nos dejó Jesucristo hace 2,000 años.

⇒ El papado se inventó por Bonifacio III en el año 607 d. C.

⇒ En el año 786 d. C. la Iglesia católica hace oficial la adoración a las imágenes.

⇒ En el año 850 d. C. se comienza a usar el agua bendita como medio de la gracia de Dios.

⇒ En el año 998 d. C. se inventa la cuaresma.

⇒ En el año 1079 d. C. se inventa el celibato sacerdotal. Pedro era casado (no cumplía con los requisitos), Santiago era casado, se cree que Pablo mismo era viudo, los apóstoles eran casados y en la Biblia dice que los que gobiernan las iglesias deben ser maridos de una sola mujer.

«Pero es necesario que el obispo sea irreprensible, marido de una sola mujer, sobrio, prudente, decoroso, hospedador, apto para enseñar» (1 Timoteo 3:2).

«Pero el Espíritu dice claramente que en los postreros tiempos algunos apostatarán de la fe, escuchando a espíritus engañadores y a doctrinas de demonios; por la hipocresía de mentirosos que, teniendo cauterizada la conciencia, prohibirán casarse, y mandarán abstenerse de alimentos que Dios creó para que con acción de gracias participasen de ellos los creyentes y los que han conocido la verdad» (1 Timoteo 4:1-3).

⇒	En el año 1090 d. C. se inventa el rosario, lo inventa Domingo de Guzmán, oración con cuentas.

⇒	En el año 1215 d. C. se inventa el término de la transustanciación (conversión literal de los elementos de la eucaristía en el cuerpo y la sangre de Cristo).

⇒	En el año 1220 d. C. comienza la adoración a la hostia.

⇒	En el año 1229 d. C. se prohíbe la lectura de la Biblia a los miembros de la Iglesia católica.

⇒	En el año 1439 d. C. se decreta la doctrina falsa del purgatorio.

⇒	En el año 1508 d. C. se aprueba el ave maría (mitad texto bíblico y mitad invento de la Iglesia católica).

⇒	En el año 1870 d. C. se declara la infalibilidad papal.

⇒	En el año 1950 d. C. se declara que María no murió.

⇒	En el año1965 d. C. se proclama oficialmente a María como madre de la Iglesia.

«Mas la Jerusalén de arriba, la cual es madre de todos nosotros, es libre» (Gálatas 4:26).

Dios nos dice en su Palabra que la madre de todos nosotros es La nueva Jerusalén no María.

FRASES:

•	*Santa María*, el único santo es Jesucristo.

•	*Madre de Dios*: Dios no tiene madre, Dios no es creado.

- *María ruega por nosotros los pecadores*: leemos en la Biblia:

«Porque hay un solo Dios y <u>un solo mediador</u> entre Dios y los hombres, Jesucristo hombre» (1 Timoteo 2:5).

La Biblia no cambia, es la misma desde hace más de 2,000 años.

Eventos importantes a través de la historia sobre crímenes de la iglesia católica:

⇒ Las cruzadas, campañas militares que tuvieron lugar en el siglo XI y XIII contra los musulmanes para reconquistar la Tierra Santa.

⇒ La Inquisición española en el período de 1478 y 1821. Los expertos afirman que murieron en este periodo 31,904 personas, (estas muertes fueron mediante castigos terribles y tortura). Siendo que el mandamiento de Jesucristo es amar al prójimo como a uno mismo y perdonar.

⇒ Los expertos afirman que del año 300 d.C. al 1850 la Iglesia católica ha matado 65 millones de protestantes.

⇒ En el año 2004 se reveló que un número aproximado de 4,000 sacerdotes fueron acusados de pedofilia durante los últimos cincuenta años, aunque sólo del 5% al 10% de las víctimas denuncian a sus atacantes. Los crímenes de los pedófilos (o crímenes sexuales) abundan en *la gran ramera.*

Este es el satanismo disfrazado de cristianismo. Si actualmente estas en este sistema sal pronto, Dios traerá un juicio muy fuerte sobre este sistema.

«porque sus juicios son verdaderos y justos; pues ha juzgado a la gran ramera que ha corrompido a la tierra con su fornicación, y ha vengado la sangre de sus siervos de la mano de ella» (Apocalipsis 19:2).

Si haces remembranza, esta religión te la impusieron y seguirla es una costumbre; por tanto, debes evaluar muy bien respecto a esto, porque es tu vida eterna la que está en juego. Recuerda, no estoy promoviendo ninguna religión, no nos confundamos, es la verdad del evangelio de Jesucristo. Estoy promoviendo que tengas una relación personal con Jesucristo y conozcas cual es la voluntad de Dios y esto se logra leyendo la Biblia.

Tienes que leer la Biblia, entenderla y vivirla; esto salva tu alma, que es eterna. Imagínate qué injusto sería si todo terminó con Hitler el mismo día en que él murió. No es así, Dios hará justicia a toda persona. Ten la seguridad de tu salvación y aprópiate de las promesas de Dios establecidas en su Palabra.

La gran ramera será pieza clave para el nuevo orden mundial, obsérvala bien.

Segundo sello: Tercera Guerra Mundial

«Cuando abrió el segundo sello, oí al segundo ser viviente, que decía: Ven y mira. Y salió otro caballo, bermejo; y al que lo montaba le fue dado poder de quitar de la tierra la paz, y que se matasen unos a otros; y se le dio una gran espada» (Apocalipsis 6:3-4).

El segundo sello se refiere a la tercera guerra mundial.

«Y oiréis de guerras y rumores de guerras; mirad que no os turbéis, porque es necesario que todo esto acontezca; pero aún no es el fin. Porque se levantará nación contra nación, y reino contra reino; y habrá pestes, y hambres, y terremotos en diferentes lugares. Y todo esto será principio de dolores» (Mateo 24:6-8).

El termómetro del segundo sello del Apocalipsis es el Medio Oriente, los países árabes contra Israel, la guerra santa, centro profético y espiritual del mundo.

«Y cuando oigáis de guerras y de sediciones, no os alarméis; porque es necesario que estas cosas acontezcan primero; pero el fin no será inmediatamente» (Lucas 21:9).

¿Qué significa la palabra *sedición*? Una sedición es una acción colectiva violenta, cuando se levanta el pueblo contra la autoridad que le gobierna; es un levantamiento popular.

El mundo árabe ha entrado en un proceso sedicioso. Este pueblo se empezó a levantar contra sus autoridades.

⇒ En Túnez, derrocaron a su presidente (2010-2011).

⇒ En Yemen, se levantaron contra el gobierno y se produjo una guerra civil (2011-2012).

⇒ En Egipto, lograron derribar a su presidente —Hosni Mubarak—, quien tenía treinta años en el gobierno, esto ocurrió en el 2011. Luego, en 2013, hubo un golpe de estado contra el presidente democráticamente elegido.

⇒ En Líbano, se levantaron contra el dictador Muammar Gadafi, luego de cuarenta y dos años de dictadura en 2011.

⇒ En Emiratos Árabes, Arabia, Jordania, Siria, Catar hay violencia interna y sus ciudadanos están protestando contra el gobierno.

Por primera vez en la historia, la Unión Europea intervino en la guerra de Libia y Egipto.

«Vendrá espada a Egipto, y habrá miedo en Etiopía, cuando caigan heridos en Egipto; y tomarán sus riquezas, y serán destruidos sus fundamentos» (Ezequiel 30:4).

Cuando derrocaron a su presidente arrasaron con los museos de historia y los desaparecieron.

El propósito de los países árabes es desaparecer a Israel del mapa. La pelea no es por territorio; más bien, todo parte de un odio histórico en contra de Israel. Si los países árabes bajan las armas habría paz en el Medio Oriente, pero si Israel baja las armas desaparece y esto tiene explicación bíblica e histórica.

Abraham tuvo un hijo llamado Isaac, que significa *risa*, pero esta risa no fue de alegría, sino de incredulidad: Sara no creyó que iba a tener un hijo, aun cuando Dios mismo se lo había prometido. Dios le había dicho a Abraham que iba a tener un hijo de Sara, su mujer; sin embargo, ella se desesperó porque no quedaba embarazada, y le dijo a Abraham que tuviera un hijo de su criada, quien se llamaba Agar (una egipcia). Entonces Agar, al quedar embarazada, veía con altivez a su señora. Ante esto, Sara le pidió a Abraham que la despidiera y él lo hizo así.

Así fue como Agar —en estado de embarazo— fue enviada fuera, al desierto. Y ahí, estando a punto de morir, un ángel de Dios se le apareció y le dijo:

«Y le dijo el ángel de Jehová: Vuélvete a tu señora, y ponte sumisa bajo su mano. Le dijo también el ángel de Jehová: Multiplicaré tanto tu descendencia, que no podrá ser contada a causa de la multitud. Además le dijo el ángel de Jehová: He aquí que has concebido, y darás a luz un hijo, y llamarás su nombre Ismael, porque Jehová ha oído tu aflicción. Y él será hombre fiero; su mano será contra todos, y la mano de todos contra él, y delante de todos sus hermanos habitará» (Génesis 16:9-12).

El ángel también le dijo que Ismael sería un «heb. *pere*» que significa asno salvaje, es decir, el carácter de Ismael sería muy obstinado y rebelde.

Posteriormente, catorce años después Sara, esposa legítima de Abraham, quedó embarazada como lo prometió Dios a Abraham y nació Isaac. De la línea de Isaac nació

Jesucristo e Ismael es el padre de los países árabes. Estos hermanos se tenían resentimiento por la forma en que fueron concebidos.

La historia bíblica nos explica la razón de que todos los países árabes quieran desaparecer a Israel, pero el conflicto no es por tierra, ni por petróleo, sino por motivos históricos, siempre serán enemigos. Por esta razón los intentos por acabar con la guerra son nulos.

Esto detonará la Tercera Guerra Mundial. Los países árabes —junto con otras naciones— se unirán contra Israel.

Muchas naciones hoy en día se han preparado para la guerra; comentan los expertos que hay armamento nuclear actualmente para acabar con el mundo varias veces. Los países se están preparando y es inminente que su armamento vaya a ser utilizado. Esta generación verá el inicio de esta guerra.

Actualmente (2020) Siria e Irán son los países en conflicto con Israel. Los países árabes aún no han aceptado la existencia del Estado de Israel. El 26 de mayo de 1967 Abdel Nasser, presidente de Egipto, declaró: «Nuestro objetivo básico será destruir a Israel».

La resolución adoptada en la conferencia árabe de Jartum (Sudán) el 1° de septiembre de 1967 es famosa por los tres no:

- No a la paz con Israel.
- No al reconocimiento de Israel.
- No a las negociaciones con Israel.

Los países árabes siempre mantendrán cerrada la puerta a todo proceso de paz con Israel, y esto nace del conflicto entre Isaac e Ismael.

El Corán de los musulmanes (religión árabe) dice, entre muchas otras cosas: «si matas a un judío te ganas el cielo».

Para ellos, todo el que no cree en lo que ellos creen es infiel, y si matan a un infiel en el nombre de Alá (su dios), se ganan el cielo. Alá no es el mismo Dios de la Biblia, es el del Corán, el Corán se escribió casi 600 años después de que se terminó de escribir el último libro de la Biblia.

Dicen que el padre de ellos también es Abraham, pero su profeta es Mahoma y no Jesucristo. Mahoma tuvo diecisiete esposas y una de ellas era de nueve años, y con ella tenía relaciones.

En la Biblia esta profetizado que Damasco, la ciudad más antigua del mundo, capital de Siria, desaparecerá en un día, una bomba nuclear puede hacer eso y esto fue escrito en el año 750 a. C., actualmente Siria está en el escaparate de las noticias mundiales.

«Profecía sobre Damasco. He aquí que Damasco dejará de ser ciudad, y será montón de ruinas» (Isaías 17:1).

Lo que desatará la Tercera Guerra Mundial, no será el conflicto por la tierra, eso es un pretexto. Lo que los árabes quieren es desaparecer a Israel, el pueblo escogido por Dios. Sin embargo, debemos recordar que Jesucristo fue judío, por eso la salvación viene de los judíos.

«Vosotros adoráis lo que no sabéis; nosotros adoramos lo que sabemos; porque la salvación viene de los judíos» (Juan 4:22).

A través de Israel, Dios dejó mucha enseñanza para nosotros: el sufrimiento del pueblo israelita por motivo de su desobediencia a Dios es enseñanza para nosotros; luego su Iglesia, la que recogerá en el arrebatamiento.

Tercer sello: hambruna

«Cuando abrió el tercer sello, oí al tercer ser viviente, que decía: Ven y mira. Y miré, y he aquí un caballo negro; y el que lo montaba tenía una balanza en la mano. Y oí una voz de en medio de los cuatro seres vivientes, que decía: Dos libras de trigo por un denario, y seis libras de cebada por un denario; pero no dañes el aceite ni el vino» (Apocalipsis 6:5-6).

La tribulación durará siete años, de los cuales tres años y medio serán de paz por el acuerdo que efectuará el anticristo; pero a mediados de la tribulación, empezará la guerra contra Israel, tres y medio años después de desaparecer la Iglesia de la tierra.

Como consecuencia directa de la guerra, ocurrirá lo que el Apocalipsis describe como el tercer sello: la hambruna. La hambruna en la tierra va a ser terrible durante y después de las guerras. La hambruna es una secuela. Una libra de trigo por un denario; todo aumentará de precio, habrá escases de agua, habrá hambruna en todo el mundo. *Pero no dañes el aceite ni el vino*, el vino representa el exceso, el alcohol no faltará; ni el aceite, es decir, las cosas valiosas que serán adquiridas por quienes puedan.

Los juicios de Dios serán tremendos, nos dice que faltarán alimentos y agua, pero no faltará el alcohol y habrá mucha vanidad. La hambruna llegará a niveles terribles, tanto que los padres se comerán a sus hijos:

«Y haré en ti lo que nunca hice, ni jamás haré cosa semejante, a causa de todas tus abominaciones. Por eso los padres comerán a los hijos en medio de ti, y los hijos comerán a sus padres; y haré en ti juicios, y esparciré a todos los vientos todo lo que quedare de ti» (Ezequiel 5:9-10).

Esto ya pasó en la historia de Israel:

«Y pasando el rey de Israel por el muro, una mujer le gritó, y dijo: Salva, rey señor mío. Y él dijo: Si no te salva Jehová, ¿de dónde te puedo salvar yo? ¿Del granero, o del lagar? Y le dijo el rey: ¿Qué tienes? Ella respondió: Esta mujer me dijo:

Da acá tu hijo, y comámoslo hoy, y mañana comeremos el mío. Cocimos, pues, a mi hijo, y lo comimos. El día siguiente yo le dije: Da acá tu hijo, y comámoslo. Mas ella ha escondido a su hijo. Cuando el rey oyó las palabras de aquella mujer, rasgó sus vestidos, y pasó así por el muro; y el pueblo vio el cilicio que traía interiormente sobre su cuerpo» (2 Reyes 6:26-30).

La Biblia dice que al final de la tribulación, multitud de los habitantes de la tierra habrán muerto.

El horror de la hambruna será pequeño en comparación con lo que se ha vivido en la historia de la humanidad; el holocausto de los judíos será poca cosa al comparársele con lo que se vivirá en la tribulación.

«Y les haré comer la carne de sus hijos y la carne de sus hijas, y cada uno comerá la carne de su amigo, en el asedio y en el apuro con que los estrecharán sus enemigos y los que buscan sus vidas» (Jeremías 19:9).

Vendrá calamidad y desgracia para todas las naciones. Jesús dijo que, si aquellos días no fuesen acortados, nadie sobrevivirá.

«Y si aquellos días no fuesen acortados, nadie sería salvo; mas por causa de los escogidos, aquellos días serán acortados» (Matero 24:22).

Isaías describe lo que vendrá.

«Cada uno hurtará a la mano derecha, y tendrá hambre, y comerá a la izquierda, y no se saciará; cada cual comerá la carne de su brazo» (Isaías 9:20).

«Porque se levantará nación contra nación, y reino contra reino; y habrá pestes, y hambres, y terremotos en diferentes lugares» (Mateo 24:7).

No entender la profecía de la Biblia promueve una Iglesia tibia.

«Todo su pueblo buscó su pan suspirando; Dieron por la comida todas sus cosas preciosas, para entretener la vida. Mira, oh Jehová, y ve que estoy abatida» (Lamentaciones 1:11).

Para seguir viviendo darán sus cosas preciosas y se darán cuenta que lo material no sirve de nada, el alimento espiritual no tiene precio.

«Las manos de mujeres piadosas cocieron a sus hijos; Sus propios hijos les sirvieron de comida en el día del quebrantamiento de la hija de mi pueblo» (Lamentaciones 4:10).

Jeremías, quien escribió el libro de Lamentaciones, está hablando del futuro cuando profetiza esto.

«No se turbe vuestro corazón; creéis en Dios, creed también en mí. En la casa de mi Padre muchas moradas hay; si así no fuera, yo os lo hubiera dicho; voy, pues, a preparar lugar para vosotros» (Juan 14:1-2).

Dios tiene un plan para tu vida y una morada preparada para ti, pero necesitas creer en Dios y creerle. Dios tiene una cena de gala preparada para la Iglesia cuando seamos arrebatados; sin embargo, el que no cree, tendrá que vivir los juicios de Dios en vivo y en directo.

¿QUÉ PASARÁ CON EL DINERO?

El fin del dinero está profetizado en la Biblia. El dinero será abolido por un decreto mundial del anticristo, la crisis apunta a que se instaure un sistema único mundial donde el dinero dejará de existir, el anticristo ordenará que tires el dinero a las calles, pues ya no tendrá ningún valor.

En un principio fueron los trueques, luego las monedas de oro, luego monedas de plata, níquel, cheques, tarjetas de crédito y por último vendrá un microchip que será implantado para que puedas comprar y vender.

«Arrojarán su plata en las calles, y su oro será desechado; ni su plata ni su oro podrá librarlos en el día del furor de Jehová; no saciarán su alma, ni llenarán sus entrañas, porque ha sido tropiezo para su maldad» (Ezequiel 7:19).

«Ni su plata ni su oro podrá librarlos en el día de la ira de Jehová, pues toda la tierra será consumida con el fuego de su celo; porque ciertamente destrucción apresurada hará de todos los habitantes de la tierra» (Sofonías 1:18).

«Y hacía que a todos, pequeños y grandes, ricos y pobres, libres y esclavos, se les pusiese una marca en la mano derecha, o en la frente» (Apocalipsis 13:16).

Hoy, después de tantos siglos de haberse escrito el Apocalipsis nos damos cuenta que será un microchip, el falso profeta apoyará al anticristo.

El número de la bestia 666 puede significar el hombre queriendo ser Dios, en el sexto día de la creación, Dios hizo al hombre; tres veces seis, por eso podrá significa el hombre queriendo ser Dios.

«¡Vamos ahora, ricos! Llorad y aullad por las miserias que os vendrán. Vuestras riquezas están podridas, y vuestras ropas están comidas de polilla. Vuestro oro y plata están enmohecidos; y su moho testificará contra vosotros, y devorará del todo vuestras carnes como fuego. Habéis acumulado tesoros para los días postreros» (Santiago 5:1-3).

Cuarto sello: mortandad

- Primer sello: el anticristo en el caballo blanco
- Segundo sello: la guerra en el caballo rojo
- Tercer sello: la hambruna, en el caballo negro
- Cuarto sello: un anuncio de mortandad en el caballo amarillo.

«Cuando abrió el cuarto sello, oí la voz del cuarto ser viviente, que decía: Ven y mira. Miré, y he aquí un caballo amarillo, y el que lo montaba tenía por nombre Muerte, y el Hades le seguía; y le fue dada potestad sobre la cuarta parte de la tierra, para matar con espada, con hambre, con mortandad, y con las fieras de la tierra» (Apocalipsis 6:7-8).

La cuarta parte de la humanidad morirá e ira al infierno. Al abrirse este sello, la humanidad sufrirá de hambruna, la mortandad imperará por todas partes, y las fieras de la tierra tratarán de comerse a las personas. La hambruna desatará una violencia entre los humanos, y las bestias de la tierra bajarán de los bosques porque ya no habrá alimento; la desaparición de las plantas, árboles y animales pequeños hará que las bestias migren de los bosques a las ciudades. Dice Dios en Jeremías 15:3:

«Y enviaré sobre ellos cuatro géneros de castigo, dice Jehová: espada para matar, y perros para despedazar, y aves del cielo y bestias de la tierra para devorar y destruir».

«Una tercera parte de ti morirá de pestilencia y será consumida de hambre en medio de ti; y una tercera parte caerá a espada alrededor de ti; y una tercera parte esparciré a todos los vientos, y tras ellos desenvainaré espada» (Ezequiel 5:12).

Quinto sello: las almas claman venganza

«Cuando abrió el quinto sello, vi bajo el altar las almas de los que habían sido muertos por causa de la palabra de Dios y por el testimonio que tenían. Y clamaban a gran voz, diciendo: ¿Hasta cuándo, Señor, santo y verdadero, no juzgas y vengas nuestra sangre en los que moran en la tierra?» (Apocalipsis 6:9).

El quinto sello no se refiere a ningún acontecimiento en la tierra, pues será en el cielo. Las almas de las personas que no se fueron en el arrebatamiento, pero que no adoraron a la bestia, que fueron muertos y decapitados por profesar a Cristo en la tribulación, estas almas clamarán venganza a Dios en el cielo; pero Dios les dirá que falta que se complete el número de sus consiervos, y les dirá: «Descansen hasta que el número se complete» (paráfrasis).

En la tribulación sí habrá oportunidad de ser salvos, pero te costará la vida. El anticristo no querrá que se salve un alma más y sellará con el microchip a todos; el que acceda a ponerse la marca de la bestia tendrá asegurado el infierno, será muy difícil no acceder ya que si no cuentas con el microchip no podrás ni comprar ni vender y no podrás alimentar a tu familia.

«y que ninguno pudiese comprar ni vender, sino el que tuviese la marca o el nombre de la bestia, o el número de su nombre» (Apocalipsis 13:17).

Por esta razón, ahora que no te cuesta la vida y que es una decisión personal, acepta a Cristo y síguelo, sé sabio. Por cierto, hoy en día existen países en donde seguir a Cristo es un delito grave y hasta puede ser penado con la muerte (p. ej. Corea del Norte, Somalia, Irak, y otros).

«El temor de Jehová es enseñanza de sabiduría; Y a la honra precede la humildad» (Proverbios 15:33).

En aquel tiempo, el que quiera salvarse tendrá que aguantar, tendrá que ser fuerte y valiente para poder alcanzar la salvación, tendrá que demostrar con hechos que ama a Dios y que quiere conseguir un lugar en el cielo.

Las masacres contra los cristianos en aquellos días serán horrorosas, nunca antes vistas, no habrá compasión ni misericordia, las torturas a los que rechacen al anticristo serán atroces.

«Y vi tronos, y se sentaron sobre ellos los que recibieron facultad de juzgar; y vi las almas de los decapitados por causa del testimonio de Jesús y por la palabra de Dios, los que no habían adorado a la bestia ni a su imagen, y que no recibieron la marca en sus frentes ni en sus manos; y vivieron y reinaron con Cristo mil años» (Apocalipsis 20:4).

No serán pocos los que se salvarán después del arrebatamiento, se salvarán millones, pero les costará la vida (vi las almas de los decapitados).

«Y se le permitió hacer guerra contra los santos, y vencerlos. También se le dio autoridad sobre toda tribu, pueblo, lengua y nación» (Apocalipsis 13:7).

Al anticristo se le dio autoridad para matar cruelmente a los que perseveren en la tribulación, por eso mejor irse en el arrebatamiento, el anticristo no tendrá piedad de los que perseveren en la fe.

Sexto sello: un gran terremoto

«Miré cuando abrió el sexto sello, y he aquí hubo un gran terremoto; y el sol se puso negro como tela de cilicio, y la luna se volvió toda como sangre; y las estrellas del cielo cayeron sobre la tierra, como la higuera deja caer sus higos cuando es sacudida por un fuerte viento. Y el cielo se desvaneció como un pergamino que se enrolla; y todo monte y toda isla se removió de su lugar. Y los reyes de la tierra, y los grandes, los ricos, los capitanes, los poderosos, y todo siervo y todo libre, se escondieron en las cuevas y entre las peñas de los montes; y decían a los montes y a las peñas: Caed sobre nosotros, y escondednos del rostro de aquel que está sentado sobre el trono, y de la ira del Cordero; porque el gran día de su ira ha llegado; ¿y quién podrá sostenerse en pie?» (Apocalipsis 6:12-17).

El sexto sello es la culminación de los juicios de Dios, nos habla de terremotos, meteoritos, cielo obscuro, luna como sangre y de que la tierra se moverá de su lugar y el cielo se desvanecerá.

Este terremoto será como nunca ha habido en la historia de la humanidad; recuerden que estamos viviendo principio de dolores, todas las cosas que describe el sexto sello ya han pasado en diferentes lugares, pero se trata de las ultimas advertencias para que voltees a ver a Dios. Lo que tiene Dios preparado para el apocalipsis no es nada comparado con lo que ya ha pasado. Ninguna nación escapará de la ira de Dios, lo que describe el sexto sello será en todo el mundo y con suficiente intensidad para que nadie escape.

Dios nos está diciendo: «Vengo pronto», nos está mostrando los juicios postreros del libro de Apocalipsis a menor escala, pero las Escrituras dicen que ni aun así las personas se arrepentirán de sus malos caminos.

La Biblia no dice que eres salvo por ser bueno, habla de tener una relación personal con Jesucristo, y si lo amas, obedecerás sus mandamientos.

Sexto sello en menor escala (principio de dolores):

⇒ Grandes terremotos: se suscitarán cada vez más frecuentes y con mayor intensidad.

⇒ El sol se pondrá negro: vimos que en Argentina se hizo de noche a las 12:00 p.m. (y no era un eclipse).

⇒ La luna se verá como sangre: en innumerables veces la luna se ha puesto roja como sangre.

⇒ Las estrellas del cielo caen: tenemos meteoritos cayendo en diferentes partes del mundo.

⇒ Lo que no ha pasado es que el cielo se desvanece, ¿qué será esto? no lo hemos visto todo.

⇒ Los montes y las islas se moverán de su lugar: Japón se movió de su lugar, Chile y otros terremotos actuales desplazaron el eje de la tierra diez cm y esto provocó que los días sean más cortos aprox. ocho minutos.

A través de la historia Dios ha usado la naturaleza y a los mismos hombres para hacer juicio, en este sexto sello habrá desastres naturales catastróficos sin precedentes.

«Y todo esto será principio de dolores» (Mateo 24:8).

Lo que actualmente estamos viviendo son los dolores que preceden al parto de la mujer.

«¡Hipócritas! que sabéis distinguir el aspecto del cielo, ¡mas las señales de los tiempos no podéis!» (Mateo 16:3).

Tenemos profecías cumpliéndose al pie de la letra, tenemos catástrofes naturales como avisos, tenemos situaciones políticas gestándose, está preparándose un imperio mundial enfrente de nosotros preparado para el anticristo, y no estamos advirtiendo a las personas. El amor por las almas, el gran tesoro de Jesucristo, por lo que vino a morir a la tierra debe ser nuestra prioridad, es momento de reflexionar si estamos haciendo la voluntad de Dios.

Séptimo sello: preludio a las trompetas

«Cuando abrió el séptimo sello, se hizo silencio en el cielo como por media hora. Y vi a los siete ángeles que estaban en pie ante Dios; y se les dieron siete trompetas. Otro ángel vino entonces y se paró ante el altar, con un incensario de oro; y se le dio mucho incienso para añadirlo a las oraciones de todos los santos, sobre el altar de oro que estaba delante del trono. Y de la mano del ángel subió a la presencia de Dios el humo del incienso con las oraciones de los santos. Y el ángel tomó el incensario, y lo llenó del fuego del altar, y lo arrojó a la tierra; y hubo truenos, y voces, y relámpagos, y un terremoto» (Apocalipsis 8:1-6).

El séptimo sello abre caminos a las siete trompetas.

LAS TROMPETAS DEL APOCALIPSIS

Primera trompeta: sufre la naturaleza

«Y los siete ángeles que tenían las siete trompetas se dispusieron a tocarlas. El primer ángel tocó la trompeta, y hubo granizo y fuego mezclados con sangre, que fueron lanzados sobre la tierra; y la tercera parte de los árboles se quemó, y se quemó toda la hierba verde» (Apocalipsis 8:6-13).

La tercera parte de la naturaleza verde es quemada por la caída de meteoros. Los árboles y la hierba verde desaparecerán, esto provocará una hambruna incontrolable y una crisis alimenticia insoportable. No se podrán sembrar las tierras.

Este juicio ya tuvo un precedente en el Antiguo Testamento, en tiempos de Moisés, cuando Dios sacó a los judíos de la tierra de Egipto.

«Y Moisés extendió su vara hacia el cielo, y Jehová hizo tronar y granizar, y el fuego se descargó sobre la tierra; y Jehová hizo llover granizo sobre la tierra de Egipto. Hubo, pues, granizo, y fuego mezclado con el granizo, tan grande, cual nunca hubo en toda la tierra de Egipto desde que fue habitada. Y aquel granizo hirió en toda la tierra de Egipto todo lo que estaba en el campo, así hombres como bestias; asimismo destrozó el granizo toda la hierba del campo, y desgajó todos los árboles del país. Solamente en la tierra de Gosén, donde estaban los hijos de Israel, no hubo granizo» (Éxodo 9:23-26).

«Por tanto, así ha dicho Jehová el Señor: Haré que la rompa viento tempestuoso con mi ira, y lluvia torrencial vendrá con mi furor, y piedras de granizo con enojo para consumir» (Ezequiel 13:13).

«Y Jehová hará oír su potente voz, y hará ver el descenso de su brazo, con furor de rostro y llama de fuego consumidor, con torbellino, tempestad y piedra de granizo» (Isaías 30:30).

Segunda trompeta: los mares son afectados

«El segundo ángel tocó la trompeta, y como una gran montaña ardiendo en fuego fue precipitada en el mar; y la tercera parte del mar se convirtió en sangre. Y murió la tercera parte de los seres vivientes que estaban en el mar, y la tercera parte de las naves fue destruida» (Apocalipsis 8:8-9).

Un meteorito caerá en el mar y la tercera parte de los peces y barcos perecerán. El mar se desbordará producto del impacto provocado por la caída del meteorito y morirán las personas que están en los barcos y los que están en las orillas del mar.

«Entonces habrá señales en el sol, en la luna y en las estrellas, y en la tierra angustia de las gentes, confundidas a causa del bramido del mar y de las olas» (Lucas 21:25).

Tercera trompeta: las aguas de los ríos se vuelven amargas

«El tercer ángel tocó la trompeta, y cayó del cielo una gran estrella, ardiendo como una antorcha, y cayó sobre la tercera parte de los ríos, y sobre las fuentes de las aguas. Y el nombre de la estrella es Ajenjo. Y la tercera parte de las aguas se convirtió en ajenjo; y muchos hombres murieron a causa de esas aguas, porque se hicieron amargas» (Apocalipsis 8:10-11).

Una estrella denominada Ajenjo caerá sobre los ríos de agua dulce y muchos morirán intoxicados. Ajenjo es una hierba de color amarillo que contiene bacterias, también contiene una sustancia aromática, amarga y tóxica.

«Por tanto, así ha dicho Jehová de los ejércitos, Dios de Israel: He aquí que a este pueblo yo les daré a comer ajenjo, y les daré a beber aguas de hiel» (Jeremías 9:15).

Cuarta trompeta: el sol, la luna y las estrellas son heridos

«El cuarto ángel tocó la trompeta, y fue herida la tercera parte del sol, y la tercera parte de la luna, y la tercera parte de las estrellas, para que se oscureciese la tercera parte de ellos, y no hubiese luz en la tercera parte del día, y asimismo de la noche. Y miré, y oí a un ángel volar por en medio del cielo, diciendo a gran voz: ¡Ay, ay, ay, de los que moran en la tierra, a causa de los otros toques de trompeta que están para sonar los tres ángeles!» (Apocalipsis 8:12-13).

La cuarta trompeta alude que el cielo se obscurecerá, se convertirá en tinieblas.

«Y daré prodigios en el cielo y en la tierra, sangre, y fuego, y columnas de humo. El sol se convertirá en tinieblas, y la luna en sangre, antes que venga el día grande y espantoso de Jehová» (Joel 2:30-31).

«El sol y la luna se oscurecerán, y las estrellas retraerán su resplandor» (Joel 3:15).

Este juicio ya tuvo su precedente en el Antiguo Testamento.

«Jehová dijo a Moisés: Extiende tu mano hacia el cielo, para que haya tinieblas sobre la tierra de Egipto, tanto que cualquiera las palpe. Y extendió Moisés su mano hacia el cielo, y hubo densas tinieblas sobre toda la tierra de Egipto, por tres días. Ninguno vio a su prójimo, ni nadie se levantó de su lugar en tres días; mas todos los hijos de Israel tenían luz en sus habitaciones» (Éxodo 10:21-23).

Dios por medio de Juan, autor del Apocalipsis, nos advierte que después de las cuatro primeras trompetas de bastante sufrimiento sigue lo peor, ¡ay, ay, ay, de los que habitan en la tierra!

Quinta trompeta: los demonios atacan a las personas

En este juicio tendrá lugar la mayor invasión demoniaca jamás registrada en la historia de la Humanidad. Por el permiso de Dios, se abrirá el pozo del abismo, de donde saldrán millones de millones de demonios para atormentar a los seres humanos. Aquí es dónde se dice que los hombres querrán morir, pero que la muerte huirá de ellos. El dolor que los hombres experimentarán será como el tormento de escorpiones.

«El quinto ángel tocó la trompeta, y vi una estrella que cayó del cielo a la tierra; y se le dio la llave del pozo del abismo. Y abrió el pozo del abismo, y subió humo del pozo como humo de un gran horno; y se oscureció el sol y el aire por el humo del pozo. Y del humo salieron langostas sobre la tierra; y se les dio poder, como tienen poder los escorpiones de la tierra. Y se les mandó que no dañasen a la hierba de la tierra, ni a cosa verde alguna, ni a ningún árbol, sino solamente a los hombres que no tuviesen el sello de Dios en sus frentes. Y les fue dado, no que los matasen, sino que los atormentasen cinco meses; y su tormento era como tormento de escorpión cuando hiere al hombre. Y en aquellos días los hombres buscarán la muerte, pero no la hallarán; y ansiarán morir, pero la muerte huirá de ellos. El aspecto de las langostas era semejante a caballos preparados para la guerra; en las cabezas tenían como coronas de oro; sus caras eran como caras humanas; tenían cabello como cabello de mujer; sus dientes eran como de leones; tenían corazas como corazas de hierro; el ruido de sus alas era como el estruendo de muchos carros de caballos corriendo a la batalla; tenían colas como de escorpiones, y también aguijones; y en sus colas tenían poder para dañar a los hombres durante cinco meses. Y tienen por rey sobre ellos al ángel del abismo, cuyo nombre en hebreo es Abadón, y en griego, Apolión» (Apocalipsis 9:1-11).

Sin duda este juicio es difícil de explicar. A diferencia de los juicios anteriores, aquí lo que cae del cielo es un ángel que baja al centro de la tierra y abre la puerta del pozo del abismo (prisión de demonios) para explicar este punto iremos al siguiente versículo:

«Y arribaron a la tierra de los gadarenos, que está en la ribera opuesta a Galilea. Al llegar él a tierra, vino a su encuentro un hombre de la ciudad, endemoniado desde hacía mucho tiempo; y no vestía ropa, ni moraba en casa, sino en los sepulcros. Este, al ver a Jesús, lanzó un gran grito, y postrándose a sus pies exclamó a gran voz: ¿Qué tienes conmigo, Jesús, Hijo del Dios Altísimo? Te ruego que no me atormentes. (Porque mandaba al espíritu inmundo que saliese del hombre, pues hacía mucho tiempo que se había apoderado de él; y le ataban con cadenas y grillos, pero rompiendo las cadenas, era impelido por el demonio a los desiertos.) Y le preguntó Jesús, diciendo: ¿Cómo te llamas? Y él dijo: Legión. Porque muchos demonios habían entrado en él. Y le rogaban que no los mandase ir al abismo. Había allí un hato de muchos cerdos que pacían en el monte; y le rogaron que los dejase entrar en ellos; y les dio permiso. Y los demonios, salidos del hombre, entraron en los cerdos; y el hato se precipitó por un despeñadero al lago, y se ahogó» (Lucas 8:26-39).

«Vi a un ángel que descendía del cielo, con la llave del abismo, y una gran cadena en la mano. Y prendió al dragón, la serpiente antigua, que es el diablo y Satanás, y lo ató por mil años; y lo arrojó al abismo, y lo encerró, y puso su sello sobre él, para que no engañase más a las naciones, hasta que fuesen cumplidos mil años; y después de esto debe ser desatado por un poco de tiempo» (Apocalipsis 20:1-3).

«Cuando llegó a la otra orilla, a la tierra de los gadarenos, vinieron a su encuentro dos endemoniados que salían de los sepulcros, feroces en gran manera, tanto que nadie podía pasar por aquel camino» (Mateo 8:28).

«Porque muchas veces había sido atado con grillos y cadenas, mas las cadenas habían sido hechas pedazos por él, y desmenuzados los grillos; y nadie le podía dominar» (Marcos 5:4).

Los demonios le rogaban a Jesús que no los echara al abismo, y Satanás será también encerrado en el abismo. El abismo es una prisión para demonios. Los demonios mencionados en Mateo 8 y Marcos 5 no querían ir allá, por eso le dijeron a Jesús «¿por qué nos atormentas antes de tiempo?». Los demonios saben su destino, por eso le rogaron a Jesús que no los mandara al abismo.

Los demonios respetan a Jesús y tiemblan cuando lo ven, nosotros tenemos a Jesucristo como Rey y Señor, y si no das lugar al diablo, los demonios huyen de ti y eres librado de sus ataques. Cuando recibes a Cristo el Espíritu Santo mora en ti y donde está el Espíritu Santo no puede habitar un demonio.

«En él también vosotros, habiendo oído la palabra de verdad, el evangelio de vuestra salvación y habiendo creído en él, fuiste sellados con el Espíritu Santo de la promesa» (Efesios 1:13).

Por lo dicho anteriormente, hay una prisión para demonios. Jesucristo trató con personas que estaban poseídas con demonios cuando estuvo en la tierra, y nos dejó muy claro que el mundo espiritual existe.

El Apocalipsis nos dice que un ángel abrirá la puerta de la prisión de los demonios (del pozo del abismo), y saldrán como langostas (las langostas atacan en multitud). Estos demonios atacarán a las personas por cinco meses; la gente querrá morir, pero la muerte huirá de ellos. Será una época terrible, serán muchísimos demonios atacando a las personas de todo el mundo comandados por el mismísimo Satanás.

«Las langostas, que no tienen rey, y salen todas por cuadrillas» (Proverbios 30:27).

¿Cómo se comportaba el endemoniado? No vestía ropa, ni moraba en casa, sino en los sepulcros. Y le ataban con cadenas y grillos, pero rompía las cadenas.

Las personas con demonios dentro de su cuerpo tienen fuerza desmedida y su comportamiento no es normal.

«Y del humo salieron langostas sobre la tierra; y se les dio poder, como tienen poder los escorpiones de la tierra (Apocalipsis 9:3-5).

El humo saldrá de los volcanes (gran horno), los volcanes son respiraderos del infierno y con el humo saldrán los demonios.

«Y se les mandó que no dañasen a la hierba de la tierra, ni a cosa verde alguna, ni a ningún árbol, sino solamente a los hombres que no tuviesen el sello de Dios en sus frentes».

En la tribulación habrá sellados por parte del diablo con el número de la bestia (microchip) y habrá sellados por parte de Dios, que son los 144,000 judíos que predicarán el evangelio en la tribulación (más adelante hablaremos de ellos). A los demonios que salieron del pozo del abismo se les dio la autorización para atacar a las personas que tengan el sello del diablo en su mano derecha o en la frente.

«Y les fue dado, no que los matasen, sino que los atormentasen cinco meses; y su tormento era como tormento de escorpión cuando hiere al hombre».

Los demonios no podrán atacar a los que Dios ha sellado.

Los 144,000 sellados serán los que en la época de la tribulación predicarán la Palabra de Dios, ya que la Iglesia no estará ahí para predicar. Estos 144,000 finalmente serán muertos, pero no en esta plaga de demonios, pues Dios no dio autorización para dañarles. Dios tiene el control de todo.

«Y se les mandó que no dañasen a la hierba de la tierra, ni a cosa verde alguna, ni a ningún árbol, sino solamente a los hombres que no tuviesen el sello de Dios en sus frentes» (Apocalipsis 9:4).

«Y en aquellos días los hombres buscarán la muerte, pero no la hallarán; y ansiarán morir, pero la muerte huirá de ellos» (Apocalipsis 9:6).

La muerte estará de vacaciones, y el tormento será tan atroz, que morir será mejor a continuar siendo torturado. La gente buscará suicidarse, pero no lo conseguirá.

Puede haber varias interpretaciones para descifrar el proceso de la quinta trompeta del Apocalipsis, lo que está claro es que será un juicio sin precedentes y terrorífico. Mi opinión personal es que los habitantes de la tierra serán atacados por los demonios que salieron de la prisión del pozo del abismo, quienes, al entrar en ellos, harán que estas personas no puedan morir; y los endemoniados y los demonios mismos atacarán a muchos otros: habrá muchas personas poseídas por demonios en ese tiempo. Pero los que Dios ha sellado no podrán ser atacados por los demonios debido a este sello.

En cuanto a la forma de las langostas entramos a un mundo espiritual, algo que no es visible para el hombre. Al referirse a langostas es porque éstas atacan en multitud y así atacarán a las personas, será un tormento sin precedentes. Será la posesión demoniaca más grande de la historia

de la humanidad; Jesucristo lidió con varios casos de demonios y las personas endemoniadas actuaban de forma diferente a una persona normal; no obstante, en esta ocasión, se
les autorizará a los demonios atacar a los seres humanos y
atormentarlos. Luego se encontrará la forma de exterminar-
los —después de cinco meses— y esto dará como resultado
que muera la tercera parte de la humanidad.

Sexta trompeta: un ejercito de 200 millones ma-
ta a la tercera parte de la humanidad

«El sexto ángel tocó la trompeta, y oí una voz de entre los
cuatro cuernos del altar de oro que estaba delante de Dios,
diciendo al sexto ángel que tenía la trompeta: Desata a los
cuatro ángeles que están atados junto al gran río Éufrates. Y
fueron desatados los cuatro ángeles que estaban preparados
para la hora, día, mes y año, a fin de matar a la tercera parte
de los hombres. Y el número de los ejércitos de los jinetes era
doscientos millones. Yo oí su número. Así vi en visión los caballos y a sus jinetes, los cuales tenían corazas de fuego, de
zafiro y de azufre. Y las cabezas de los caballos eran como
cabezas de leones; y de su boca salían fuego, humo y azufre.
Por estas tres plagas fue muerta la tercera parte de los hombres; por el fuego, el humo y el azufre que salían de su boca.
Pues el poder de los caballos estaba en su boca y en sus colas;
porque sus colas, semejantes a serpientes, tenían cabezas, y
con ellas dañaban. Y los otros hombres que no fueron muertos con estas plagas, ni aun así se arrepintieron de las obras
de sus manos, ni dejaron de adorar a los demonios, y a las
imágenes de oro, de plata, de bronce, de piedra y de madera,
las cuales no pueden ver, ni oír, ni andar; y no se arrepintieron de sus homicidios, ni de sus hechicerías, ni de su fornicación, ni de sus hurtos» (Apocalipsis 9:13-21).

El sexto sello desatará un ejército de 200 millones que matará a la tercera parte de la humanidad. Estas personas —las
que serán muertas— son las que tenían espíritus de demo-

nios en sus cuerpos (en mi opinión, las que no podían morir, aunque lo deseaban, Apocalipsis 9:6).

Este ejército de 200 millones de personas será el que elimine a todos los endemoniados y así morirá la tercera parte de la humanidad. ¡Imagínense la cantidad de endemoniados en la tierra dado este juicio!

En el año que se escribió el libro de Apocalipsis era imposible pensar en una cantidad de 200 millones, en esa época ese número era imposible; pero hoy en día es congruente con el número de la población mundial.

Séptima trompeta: hay granizos y un terremoto

«El séptimo ángel tocó la trompeta, y hubo grandes voces en el cielo, que decían: Los reinos del mundo han venido a ser de nuestro Señor y de su Cristo; y él reinará por los siglos de los siglos. Y los veinticuatro ancianos que estaban sentados delante de Dios en sus tronos, se postraron sobre sus rostros, y adoraron a Dios, diciendo: Te damos gracias, Señor Dios Todopoderoso, el que eres y que eras y que has de venir, porque has tomado tu gran poder, y has reinado. Y se airaron las naciones, y tu ira ha venido, y el tiempo de juzgar a los muertos, y de dar el galardón a tus siervos los profetas, a los santos, y a los que temen tu nombre, a los pequeños y a los grandes, y de destruir a los que destruyen la tierra. Y el templo de Dios fue abierto en el cielo, y el arca de su pacto se veía en el templo. Y hubo relámpagos, voces, truenos, un terremoto y grande granizo» (Apocalipsis 11:15-19).

La séptima trompeta no tendrá lugar en la tierra, es gozo en el cielo y adoración al Cordero, el Señor Jesucristo, esta trompeta anuncia la victoria del Mesías.

La culminación de los juicios de las trompetas da lugar a que hablemos de los 144,000 judíos que predicarán la Palabra en la tribulación, bajo las órdenes de los dos testigos.

Los 144,000

«Después de esto vi a cuatro ángeles en pie sobre los cuatro ángulos de la tierra, que detenían los cuatro vientos de la tierra, para que no soplase viento alguno sobre la tierra, ni sobre el mar, ni sobre ningún árbol. Vi también a otro ángel que subía de donde sale el sol, y tenía el sello del Dios vivo; y clamó a gran voz a los cuatro ángeles, a quienes se les había dado el poder de hacer daño a la tierra y al mar, diciendo: No hagáis daño a la tierra, ni al mar, ni a los árboles, <u>hasta que hayamos sellado en sus frentes a los siervos de nuestro Dios</u>» (Apocalipsis 7:1-3).

En la tribulación, así como el anticristo exigirá que la gente se implante un chip, con el sello del numero de la bestia, también habrá sellados por parte de Dios, ellos terminaran la evangelización del mundo después del traslado de la iglesia.

«Y será predicado este evangelio del reino en todo el mundo, para testimonio de todas las naciones; y entonces vendrá el fin» (Mateo 24:14).

Los 144,000 terminarán este trabajo junto con los dos testigos.

EL SELLO DE LA BESTIA

«Y hacía que a todos, pequeños y grandes, ricos y pobres, libres y esclavos, se les pusiese una marca en la mano derecha, o en la frente» (Apocalipsis 13:16).

El falso profeta ayudará al anticristo en su propósito: el dinero desaparecerá y si no tienes la marca no podrás comprar ni vender.

LOS SELLADOS POR PARTE DE DIOS

Los sellados por el anticristo tendrán el sello en la frente o en la mano derecha. Por otro lado, también los que tienen el sello de Dios serán sellados en la frente, más no en la mano (Apocalipsis 9:4).

La secta diabólica de los testigos de Jehová creen que ellos son los 144,000; sin embargo, esto no está de acuerdo con lo que dice el texto bíblico:

> «Y oí el número de los sellados: ciento cuarenta y cuatro mil sellados de todas las tribus de los hijos de Israel. De la tribu de Judá, doce mil sellados. De la tribu de Rubén, doce mil sellados. De la tribu de Gad, doce mil sellados. De la tribu de Aser, doce mil sellados. De la tribu de Neftalí, doce mil sellados. De la tribu de Manasés, doce mil sellados. De la tribu de Simeón, doce mil sellados. De la tribu de Leví, doce mil sellados. De la tribu de Isacar, doce mil sellados. De la tribu de Zabulón, doce mil sellados. De la tribu de José, doce mil sellados. De la tribu de Benjamín, doce mil sellados» (Apocalipsis 7:4-8).

Este pasaje se refiere, desde luego, a los hijos físicos de Jacob. Cuando el mundo esté condenado por el anticristo y el falso profeta (ambos guiados por el mismísimo Satanás), los 144,000 judíos predicarán la Palabra de Dios.

En la lista de tribus no aparece la tribu de Dan, aunque esta también es una tribu de Israel. ¿Por qué? Yo creo que es porque de esta tribu vendrá el anticristo, el falso mesías, mientras que el Mesías verdadero viene de la tribu de Judá del linaje de David.

> «Dan juzgará a su pueblo, Como una de las tribus de Israel. Será Dan serpiente junto al camino, víbora junto a la senda, que muerde los talones del caballo y hace caer hacia atrás al jinete» (Génesis 49:16-17).

> «Porque una voz trae las nuevas desde Dan, y hace oír la calamidad desde el monte de Efraín. Decid a las naciones: He aquí, haced oír sobre Jerusalén: Guardas vienen de tierra lejana, y lanzarán su voz contra las ciudades de Judá» (Jeremías 4:15-16).

¿Por qué Dios escogió a Israel?

PARA ESTABLECER EL MONOTEÍSMO Y NO EL POLITEÍSMO

Por medio de Israel se predicaría un sólo Dios, el Dios verdadero. Un sólo mediador y un sólo Dios.

«Y esta es la vida eterna: que te conozcan a ti, el único Dios verdadero, y a Jesucristo, a quien has enviado» (Juan 17:3).

«Porque hay un solo Dios, y un solo mediador entre Dios y los hombres, Jesucristo hombre» (1 Timoteo 2:5).

PARA NUESTRA ENSEÑANZA

Por medio de Israel nosotros podemos conocer la voluntad de Dios. Israel fue fuertemente disciplinado debido a su desobediencia para que nosotros aprendiéramos. Tenemos que reconocer que Israel es el pueblo escogido de Dios y que los judíos tienen promesas como nación. Ellos tuvieron grandes exigencias de parte de Dios para que nosotros conociéramos el sentir del Señor. Si nosotros fuéramos exigidos como Dios exigió a Israel, tendríamos juicios terribles cada vez que desobedeciéramos. Dios es un Dios de justicia y la exigencia que tuvo Israel permite que —como nación— tenga grandes promesas; a diferencia de nosotros, que, como iglesia, tenemos grandes promesas en lo individual. Cuando una persona no acepta a Israel como el pueblo escogido de Dios puede estar acareándose graves consecuencias, porque está demeritando el plan perfecto de Dios para la humanidad. Israel como nación tiene la protección de Dios, nosotros la tenemos individualmente. Así también, la evangelización del mundo empezó por los judíos; Jesucristo predicó el evangelio a los judíos, fue por eso que en la cruz colocaron la frase *este es el rey de los judíos.* Con los judíos comenzó la evangelización y con los judíos —luego del arrebatamiento—, con los 144,000, terminará.

«Jesús le dijo: Mujer, créeme, que la hora viene cuando ni en este monte ni en Jerusalén adoraréis al Padre. Vosotros adoráis lo que no sabéis; nosotros adoramos lo que sabemos; porque la salvación viene de los judíos» (Juan 4:21-22).

PARA QUE A TRAVÉS DE ISRAEL SE ESCRIBIERA LA BIBLIA

PARA QUE A TRAVÉS DE ISRAEL VINIERA EL MESÍAS

¿Qué hay en el sello o en qué consiste el sello de Dios?

«Después miré, y he aquí el Cordero estaba en pie sobre el monte de Sion, y con él ciento cuarenta y cuatro mil, que tenían el nombre de él y el de su Padre escrito en la frente» (Apocalipsis 14 :1).

El sello es distintivo de propiedad. Luego, los 144,000 serán asesinados por la bestia.

«Aquí está la paciencia de los santos, los que guardan los mandamientos de Dios y la fe de Jesús. Oí una voz que desde el cielo me decía: Escribe: Bienaventurados de aquí en adelante los muertos que mueren en el Señor. Sí, dice el Espíritu, descansarán de sus trabajos, porque sus obras con ellos siguen» (Apocalipsis 14:12-13).

«Entonces os entregarán a tribulación, y os matarán, y seréis aborrecidos de todas las gentes por causa de mi nombre. Muchos tropezarán entonces, y se entregarán unos a otros, y unos a otros se aborrecerán. Y muchos falsos profetas se levantarán, y engañarán a muchos; y por haberse multiplicado la maldad, el amor de muchos se enfriará. Mas el que persevere hasta el fin, éste será salvo. Y será predicado este evangelio del reino en todo el mundo, para testimonio a todas las naciones; y entonces vendrá el fin» (Mateo 24:9-14).

Los 144,000 harán un gran trabajo de evangelismo en la tierra, se convertirá una multitud incontable a causa de su predicación y el evangelio será predicado en todo el mundo.

Luego de su muerte, estos 144,000 serán recibidos como héroes en el cielo.

«Después miré, y he aquí el Cordero estaba en pie sobre el monte de Sion, y con él ciento cuarenta y cuatro mil, que tenían el nombre de él y el de su Padre escrito en la frente. Y oí una voz del cielo como estruendo de muchas aguas, y como sonido de un gran trueno; y la voz que oí era como de arpistas que tocaban sus arpas. Y cantaban un cántico nuevo delante del trono, y delante de los cuatro seres vivientes, y de los ancianos; y nadie podía aprender el cántico sino aquellos ciento cuarenta y cuatro mil que fueron redimidos de entre los de la tierra. Estos son los que no se contaminaron con mujeres, pues son vírgenes. Estos son los que siguen al Cordero por dondequiera que va. Estos fueron redimidos de entre los hombres como primicias para Dios y para el Cordero; y en sus bocas no fue hallada mentira, pues son sin mancha delante del trono de Dios» (Apocalipsis 14:1-5).

Después del arrebatamiento, los 144,000 judíos predicarán, pero estos no son los únicos que se salvarán en la tribulación, habrá una multitud de personas que escucharán el evangelio a causa de los 144,000 y también se salvarán, tendrán que morir, pero se salvarán de todas las naciones de la tierra.

«Después de esto miré, y he aquí una gran multitud, la cual nadie podía contar, de todas naciones y tribus y pueblos y lenguas, que estaban delante del trono y en la presencia del Cordero, vestidos de ropas blancas, y con palmas en las manos; y clamaban a gran voz, diciendo: La salvación pertenece a nuestro Dios que está sentado en el trono, y al Cordero» (Apocalipsis 7:9-10).

«Yo le dije: Señor, tú lo sabes. Y él me dijo: Estos son los que han salido de la gran tribulación, y han lavado sus ropas, y las han emblanquecido en la sangre del Cordero» (Apocalipsis 7:14).

Muy seguramente esta multitud estará compuesta por muchos tibios de la iglesia actual. Los 144,000 —todos, sin ex-

cepción— más los dos testigos serán asesinados por el anticristo. Después de todo esto, estaremos listos para las bodas
del cordero.

«Y daré a mis dos testigos que profeticen por mil doscientos
sesenta días, vestidos de cilicio. Estos testigos son los dos olivos, y los dos candeleros que están en pie delante del Dios de
la tierra. Si alguno quiere dañarlos, sale fuego de la boca de
ellos, y devora a sus enemigos; y si alguno quiere hacerles daño, debe morir él de la misma manera» (Apocalipsis 11:3-5).

«Gocémonos y alegrémonos y démosle gloria; porque han
llegado las bodas del Cordero, y su esposa se ha preparado. Y
a ella se le ha concedido que se vista de lino fino, limpio y
resplandeciente; porque el lino fino es las acciones justas de
los santos» (Apocalipsis 19:7-8).

LAS COPAS DE LA IRA DE DIOS

Primera copa: enfermedad

«Oí una gran voz que decía desde el templo a los siete ángeles: Id y derramad sobre la tierra las siete copas de la ira de
Dios. Fue el primero, y derramó su copa sobre la tierra, y
vino una úlcera maligna y pestilente sobre los hombres que
tenían la marca de la bestia, y que adoraban su imagen»
(Apocalipsis 16:1-2).

La primera copa alude a una enfermedad que atacará a
todos lo que tengan el número de la bestia. Esta enfermedad
hará que los hombres se llenen de llagas en la piel.

Segunda copa: el mar se convierte en sangre

«El segundo ángel derramó su copa sobre el mar, y éste se
convirtió en sangre como de muerto; y murió todo ser vivo
que había en el mar» (Apocalipsis 16:3).

A diferencia de las trompetas, donde muere la tercera parte del mar, en la segunda copa todo el mar se convierte en

sangre, se vuelve innavegable y se mueren todos los seres vivientes del mar. Será un juicio de Dios terrible para la humanidad. En los juicios de Dios están envueltos el mar, el cielo y la tierra; Dios siempre ha utilizado la naturaleza para ejecutar sus juicios. Hoy en día los conductores de los noticieros —y muchas personas con ellos— dicen: «Se enojó la madre naturaleza». ¡No es la madre naturaleza! ¡Es Dios ejecutando sus juicios a través de sus ángeles!

Tercera copa: los ríos se convierten en sangre

«El tercer ángel derramó su copa sobre los ríos, y sobre las fuentes de las aguas, y se convirtieron en sangre. Y oí al ángel de las aguas, que decía: Justo eres tú, oh Señor, el que eres y que eras, el Santo, porque has juzgado estas cosas. Por cuanto derramaron la sangre de los santos y de los profetas, también tú les has dado a beber sangre; pues lo merecen. También oí a otro, que desde el altar decía: Ciertamente, Señor Dios Todopoderoso, tus juicios son verdaderos y justos» (Apocalipsis 16:4-7).

Se repite el juicio del Éxodo al Faraón, quien estuvo presente cuando Moisés golpeó las aguas del río y estas se convirtieron en sangre.

A diferencia de la tercera trompeta, en donde la gente muere intoxicada a causa de beber agua envenenada, ahora no habrá agua en lo absoluto, pues ésta se habrá convertido en sangre. En ambos juicios no habrá agua para beber. Este será un factor muy importante en las guerras futuras: las naciones pelearán por el agua.

«Y Moisés y Aarón hicieron como Jehová lo mandó; y alzando la vara golpeó las aguas que había en el río, en presencia de Faraón y de sus siervos; y todas las aguas que había en el río se convirtieron en sangre» (Éxodo 7:20-21).

Asimismo los peces que había en el río murieron; y el río se corrompió [el río Nilo], tanto que los egipcios no podían beber de él. Y hubo sangre por toda la tierra de Egipto».

«Y volvió sus ríos en sangre, Y sus corrientes, para que no bebiesen» (Salmo 78:44).

Los polos se están derritiendo y eso apunta a que el agua escasee; permanecer vivo en el tiempo de la tribulación implicará padecer muchas cosas, un gran sufrimiento.

Una cosa es leer el Apocalipsis, otra estudiarlo y otra cosa será vivirlo. Es quizá tolerable estar sin agua un día, ¡pero imagina no tener agua durante un mes! ¿qué pasaría? Seguro la gente estaría dispuesta hasta a matar por el agua.

Cuarta copa: la gente se quema

«El cuarto ángel derramó su copa sobre el sol, al cual fue dado quemar a los hombres con fuego. Y los hombres se quemaron con el gran calor, y blasfemaron el nombre de Dios, que tiene poder sobre estas plagas, y no se arrepintieron para darle gloria» (Apocalipsis 16:8-9).

Muchas personas morirán a causa del cáncer de piel; prácticamente la capa de ozono desaparecerá, y muchos serán quemados por el sol. La Biblia es exacta, profetizó el cáncer de piel miles de años atrás de ser descubierto.

Quinta copa: atentado contra el trono de la bestia

«El quinto ángel derramó su copa sobre el trono de la bestia; y su reino se cubrió de tinieblas, y mordían de dolor sus lenguas, y blasfemaron contra el Dios del cielo por sus dolores y por sus úlceras, y no se arrepintieron de sus obras» (Apocalipsis 16:10-11).

En la quinta trompeta el sol se obscurecerá y la luna y los días serán acortados. A diferencia de la quinta copa, habrá obscuridad total. Esta plaga parece ser idéntica a la ya presentada con Faraón, en Egipto; esta será la única plaga cuya duración sea de tres días, pues todas las demás durarán siete días.

En el juicio de la quinta copa, el trono del anticristo será atacado. Esto ocurrirá en el tiempo cuando él sea adorado (la abominación desoladora de la cual habló el profeta Daniel). El anticristo se sentará en el templo de Dios y se hará pasar por Dios.

«Entonces me fue dada una caña semejante a una vara de medir, y se me dijo: Levántate, y mide el templo de Dios, y el altar, y a los que adoran en él. Pero el patio que está fuera del templo déjalo aparte, y no lo midas, porque ha sido entregado a los gentiles; y ellos hollarán la ciudad santa cuarenta y dos meses» (Apocalipsis 11:1-2).

El templo de Dios está en Jerusalén y Dios permitirá que sea reconstruido luego del arrebatamiento de la iglesia.

Entonces, el tiempo total de la tribulación incluirá:

• Tres años y medio de paz.

• Tres años y medio de angustia.

• Total: siete años de tribulación.

«Por tanto, cuando veáis en el lugar santo la abominación desoladora de que habló el profeta Daniel (el que lee, entienda), entonces los que estén en Judea, huyan a los montes... Mas ¡ay de las que estén encintas, y de las que críen en aquellos días! Orad, pues, que vuestra huida no sea en invierno ni en día de reposo; porque habrá entonces gran tribulación, cual no la ha habido desde el principio del mundo hasta ahora, ni la habrá. Y si aquellos días no fuesen acortados, nadie sería salvo; mas por causa de los escogidos, aquellos días serán acortados» (Mateo 24:15-16, 19-22).

El anticristo se sentará en el templo y será adorado: esta es la abominación desoladora de la que habló el profeta Daniel.

El Mesías habla directamente al pueblo de Israel: «... entonces los que estén en Judea huyan a los montes». Esto es tremendo, porque el Mesías advierte aquí de las que estén embarazadas: tendrán que huir, no habrá agua, ni comida, se tendrán que comer a sus propios hijos.

«Oren porque su huida no sea en invierno». El sufrimiento para la nación de Israel será peor en este tiempo que todo lo sufrido por los juicios de Dios a través de la historia. Adolfo Hitler quedará como un niño travieso en comparación del anticristo, ¡éste será mucho más terrible!

Dios recomienda que oremos para que ese momento no sea en invierno, ni en día de reposo.

INVIERNO

La nieve llega tan alto que será imposible escapar y aumentará el número de muertos por el anticristo.

DÍA DE REPOSO

Los judíos como regla no pueden caminar más de un kilómetro el día de reposo, si esto aparece en un día de reposo, se tendrán que quedar a ver —en primera fila— su propia tortura y asesinato.

«Entonces volvieron a Jerusalén desde el monte que se llama del Olivar, el cual está cerca de Jerusalén, camino de un día de reposo» (Hechos 1:12).

«Todo su pueblo buscó su pan suspirando; Dieron por la comida todas sus cosas preciosas, para entretener la vida. Mira, oh Jehová, y ve que estoy abatida» (Lamentaciones 1:11).

Acuérdense que en la primera trompeta se quemará la hierba verde, la tierra será estéril y no se podrá cultivar. Para seguir viviendo, para hacerse de algo de pan, se desharán de todas sus posesiones materiales.

> «Más dichosos fueron los muertos a espada que los muertos por el hambre; Porque éstos murieron poco a poco por falta de los frutos de la tierra. Las manos de mujeres piadosas cocieron a sus hijos; Sus propios hijos les sirvieron de comida en el día del quebrantamiento de la hija de mi pueblo» (Lamentaciones 4:9-10).

Las copas de la ira agudizarán los juicios de las trompetas, si los días no fueran acortados, no quedarían humanos en la tierra, pero el plan de Dios es que queden sobrevivientes para el milenio.

> «Apareció en el cielo una gran señal: una mujer [Israel] vestida del sol [Jacob, el padre de José], con la luna debajo de sus pies [la esposa de Jacob, madre de José], y sobre su cabeza una corona de doce estrellas [las doce tribus de Israel]» (Apocalipsis 12:1).

Para entender este versículo es necesario ir al sueño de José:

- Abraham funda la nación de Israel y también funda las naciones árabes.

- Abraham es el padre espiritual de la iglesia (por medio de la fe, Romanos 4:16).

- Jacob es el padre de las doce tribus que dan origen a la nación judía.

- Jacob tuvo doce hijos, y cada uno de ellos fundó una tribu; una de esas tribus es la de Judá. Judá es la tribu de donde descendió el Mesías.

Cada una de estas tribus esta simbolizada por una estrella, la mujer que menciona el libro de Apocalipsis está coronada por doce estrellas, una por cada tribu, una por cada hijo de Jacob.

«Soñó aun otro sueño, y lo contó a sus hermanos, diciendo: He aquí que he soñado otro sueño, y he aquí que el sol y la luna y once estrellas se inclinaban a mí» (Génesis 37:9).

¿Quién tuvo ese sueño? José. Las 11 estrellas (y él mismo), representan las 12 estrellas del capítulo 12 del Apocalipsis, las cuales son las 12 tribus de Israel.

También José soñó que el sol y la luna se postraban ante él. Y esto representa el padre y la madre de José. Su padre lo entendió de inmediato, tanto que le dijo: «¿Qué sueño es este que soñaste? ¿Acaso vendremos yo y tu madre y tus hermanos a postrarnos en tierra ante ti? No obstante, ¡eso fue exactamente lo que sucedió!

Cuando los judíos estaban es escasez de alimentos tuvieron que ir a Egipto a buscarlos; y ¿quién les sirvió de sustento? nada más y nada menos que José, el que ellos habían —por envidia— vendido a los ismaelitas. Pues a José, con el tiempo, Dios le convirtió en el que ayudara a Egipto y a la casa de Faraón a salir adelante de una gran hambruna, y él se convirtió en el brazo derecho de Faraón y administrador de toda la abundancia. Así fue que, habiendo oído Jacob que en Egipto había pan, vinieron los hermanos de José y le dijeron: «Tenemos hambre», y se postraron ante él. Pero ellos no pudieron reconocer a su hermano. Finalmente, José se descubrió ante ellos y les dijo: «Yo soy José, vuestro hermano».

La profecía se cumplió: las once estrellas (sus hermanos), y sus padres (el sol y la luna), se inclinaron ante José. El sol es Jacob y la luna es la madre de José.

Sus hermanos le tenían envidia, pero Jacob entendió que ese sueño era profético.

«Apareció en el cielo una gran señal: una mujer vestida del sol, con la luna debajo de sus pies, y sobre su cabeza una corona de doce estrellas. Y estando encinta, clamaba con dolores de parto, en la angustia del alumbramiento» (Apocalipsis 12:1-2).

Una mujer vestida de sol: representa a Jacob; *con la luna debajo de sus pies,* representa a la madre de José. Y una corona ya no de once si no de doce estrellas; y la mujer estaba a punto de dar a luz. Esto se refiere a la nación de Israel.

«También apareció otra señal en el cielo: he aquí un gran dragón escarlata, que tenía siete cabezas y diez cuernos, y en sus cabezas siete diademas; y su cola arrastraba la tercera parte de las estrellas del cielo, y las arrojó sobre la tierra. Y el dragón se paró frente a la mujer que estaba para dar a luz, a fin de devorar a su hijo tan pronto como naciese» (Apocalipsis 12:3-4).

¿Acaso no hizo esto Satanás por intermedio de Herodes cuando nació Jesús? Herodes tramó la muerte de Jesús; así fue necesario que muriesen muchos niños para que nosotros tuviéramos salvación.

«Y ella dio a luz un hijo varón, que regirá con vara de hierro a todas las naciones; y su hijo fue arrebatado [se fue vivo al cielo] para Dios y para su trono» (Apocalipsis 12:5).

El Hijo de Dios fue arrebatado, y la iglesia también será arrebatada.

¿Quién es el dragón?

«Y fue lanzado fuera el gran dragón, la serpiente antigua, que se llama diablo y Satanás, el cual engaña al mundo entero; fue arrojado a la tierra, y sus ángeles fueron arrojados con él» (Apocalipsis 12:9).

El diablo, el cual engaña al mundo entero, fue arrojado a la tierra.

¿Quién es el *hijo* del cual habla este pasaje?

«Yo publicaré el decreto; Jehová me ha dicho: Mi hijo eres tú; Yo te engendré hoy. Pídeme, y te daré por herencia las naciones, Y como posesión tuya los confines de la tierra. Los quebrantarás con vara de hierro; Como vasija de alfarero los desmenuzarás» (Salmo 2:7-9).

¿Quién es el que gobierna con vara de hierro? Jesucristo, en el milenio, junto con la iglesia que fue arrebatada antes de la tribulación, los 144,000 judíos y todos los que perdieron la vida a causa del testimonio de Jesús durante el período de tribulación.

«Y la mujer [Israel] huyó al desierto, donde tiene lugar preparado por Dios, para que allí la sustenten por mil doscientos sesenta días» (Apocalipsis 12:6).

Es algo similar a lo que dice en Mateo 24, Lucas 21 y Marcos 13: «... los que estén en Judea huyan...».

Unos correrán a los montes y otros al desierto, el Mesías en Mateo dice: «Corran a los montes»; Juan, en el Apocalipsis dice: «Corran al desierto, y ahí estarán por mil doscientos setenta días (tres años y medio)».

Habrá tres años y medio de paz y tres años y medio de sufrimientos; y mientras tanto, Israel estará en el lugar que Dios tiene preparado para ella.

El anticristo entrará a la escena como un pacifista; pero después dará su verdadera cara: un carnicero y un homicida en potencia; él ordenará una gran persecución contra el pueblo judío, pero los judíos escaparán y saldrán al desierto. No obstante —lo maravilloso de todo—, es que Israel será sustentado por Dios. El Señor no abandonará a los judíos, ¡es su pueblo escogido! Dios los sostendrá y la nación de Israel sobrevivirá, tal y como siempre lo ha hecho a través de la historia: 5,771 años de ataques contra la nación y actualmente sigue siendo el centro de atención de los países del mundo. Ciertamente morirán millones de judíos, pero como nación sobrevivirá.

A través de la historia han existido muchos que han desprestigiado al pueblo judío y aún han enseñado a odiarlo; sin embargo, El odio hacia el pueblo judío o el negar su posición ante Dios es pecado; la iglesia cristiana en el mundo debe orar y bendecir al pueblo judío. Cuando nosotros oramos por el pueblo de Israel somos más bendecidos que el mismo Israel. Recuerden, Jesús dijo: «La salvación viene de los judíos». Un judío murió para salvarte, y murió voluntariamente.

La mujer fue al desierto para ser «sustentada».

«Y ella dio a luz un hijo varón, que regirá con vara de hierro a todas las naciones; y su hijo fue arrebatado para Dios y para su trono. Y la mujer huyó al desierto, donde tiene lugar preparado por Dios, para que allí la sustenten por mil doscientos sesenta días» (Apocalipsis 12:5-6).

Pero antes, la iglesia será librada de la tribulación.

A los judíos Dios los protegerá en la gran tribulación, en cambio a nosotros, los que recibimos a Cristo y andamos en su voluntad, nos librará de todo el período de la tribulación.

«Por lo cual alegraos, cielos, y los que moráis en ellos. ¡Ay de los moradores de la tierra y del mar! porque el diablo ha descendido a vosotros con gran ira, sabiendo que tiene poco tiempo. Y cuando vio el dragón que había sido arrojado a la tierra, persiguió a la mujer que había dado a luz al hijo varón» (Apocalipsis 12:12-13).

Cuando el dragón (Satanás) fue arrojado a la tierra persiguió a la mujer (los judíos).

«Y se le dieron a la mujer las dos alas de la gran águila, para que volase de delante de la serpiente al desierto, a su lugar, donde es sustentada por un tiempo, y tiempos, y la mitad de un tiempo» (Apocalipsis 12:14).

Las alas representan una salvación prodigiosa, como la que Israel tuvo en Egipto. Israel será preservada por tres años y medio: por un tiempo (un año) y tiempos (dos años) y la mitad de un tiempo (medio año), es decir, el tiempo que durará la gran tribulación; es también cuarenta y dos meses o 1,260 días.

«Y la serpiente arrojó de su boca, tras la mujer, agua como un río, para que fuese arrastrada por el río» (Apocalipsis 12:15).

Esta agua que sale de la serpiente significa que el diablo convencerá al mundo de que es necesario matar a los judíos. Podemos imaginar que el anticristo dirá que el mundo necesita concluir lo que Hitler empezó, y las naciones, convencidas por él, saldrán a matar a los judíos y a tratar de desaparecer a Israel del mapa: esto dará inicio a la guerra del Armagedón.

«Pero la tierra ayudó a la mujer, pues la tierra abrió su boca y tragó el río que el dragón había echado de su boca» (Apocalipsis 12:16).

También habrá naciones que ayuden a Israel.

«Entonces el dragón se llenó de ira contra la mujer [Israel]; y se fue a hacer guerra contra el resto de la descendencia de ella [a otros países], los que guardan los mandamientos de Dios y tienen el testimonio de Jesucristo [los creyentes]» (Apocalipsis 12:17).

El diablo, no contento con hacer guerra en Jerusalén, perseguirá a todos los judíos que viven en el mundo, es decir, a todos sus descendientes. La persecución se traslada al mundo entero y eso no es todo, también hará guerra contra los que guardan los mandamientos de Dios o sea todos los cristianos que hayan quedado en la tribulación [tibios, muy seguramente].

La persecución entonces no será solamente para los judíos, sino para todo aquel que proclama a Dios. El anticristo se sentará en el templo y se hará pasar por Dios.

«Nadie os engañe en ninguna manera; porque no vendrá sin que antes venga la apostasía, y se manifieste el hombre de pecado, el hijo de perdición» (2 Tesalonicenses 2:3).

Pero está hablando de la segunda venida de Cristo, no del arrebatamiento. Los evangélicos se confunden con esto; es por eso que haré un paréntesis para explicarlo.

En el arrebatamiento Cristo se lleva a su iglesia en las nubes, mientras que, en la segunda venida, Cristo viene a defender a Israel, esto es, en la Guerra del Armagedón. Este evento da paso al milenio.

La gente adorará al anticristo:

«Vi una de sus cabezas como herida de muerte, pero su herida mortal fue sanada; y se maravilló toda la tierra en pos de la bestia, y adoraron al dragón que había dado autoridad a la bestia, y adoraron a la bestia, diciendo: ¿Quién como la bestia, y quién podrá luchar contra ella?» (Apocalipsis 13:3-4).

Esto se llama apostasía total.

Jesucristo no vendrá a la tierra por segunda vez hasta que no se manifieste el hombre de pecado, el protagonista de la abominación desoladora, Satanás mismo encarnado.

El anticristo dirá: «¡No más religiones, no más creencias, o me adoran a mi o morirán! Y estará en el templo de Dios como Dios, haciéndose pasar por Dios, en Jerusalén; y en ese momento el cielo se cubrirá de tinieblas, como lo dice este pasaje:

«El quinto ángel derramó su copa sobre el trono de la bestia; y su reino se cubrió de tinieblas, y mordían de dolor sus lenguas, y blasfemaron contra el Dios del cielo por sus dolores y por sus úlceras, y no se arrepintieron de sus obras» (Apocalipsis 16:10-11).

El que reciba la marca de la bestia nunca será perdonado por Dios; pero eso no es todo, el que ya haya recibido el microchip por el cual sea controlado y luego quiera reconsiderar su postura, se pudrirá lentamente, se pudrirá su carne, porque el microchip contendrá arsénico y litio y si el chip se rompe en el cuerpo de la persona, por medio de un control satelital, su cuerpo se pudrirá. Una gangrena consumirá a estas personas y apestarán.

Los últimos tiempos no son agradables, consagrarse a Dios es el camino de vida. El Hijo de Dios está a punto de aparecer. La venida del Hijo de Dios está a las puertas, todos los juicios de Todopoderoso —que mencionan en el Apocalipsis— se están manifestando. Es algo real, Dios prometió venir otra vez y lo va a hacer, tengan la plena seguridad. La profecía más contundente es el milagro ocurrido con Israel: primero se constituye como nación en 1948; y luego, en 1967, se establecen los judíos en su tierra al vencer en la Guerra de los Seis Días a los países árabes; mismos días en los que Dios hizo la creación.

Esta profecía, escrita más de 1,900 años antes, se convierte en realidad. ¡Esto es increíble! Después de esto, la profecía nos dice que Israel se volvería productivo muy rápidamente, que plantaría, y en nuestros días Israel exporta frutas y verduras de una tierra que estaba antes asolada.

ADVERTENCIA:

La Biblia dice que la generación que vea todas estas cosas verá la venida del Señor.

«He aquí, yo vengo pronto; retén lo que tienes, para que ninguno tome tu corona» (Apocalipsis 3:11).

«¡He aquí, vengo pronto! Bienaventurado el que guarda las palabras de la profecía de este libro» (Apocalipsis 22:7).

«He aquí yo vengo pronto, y mi galardón conmigo, para recompensar a cada uno según sea su obra» (Apocalipsis 22:12).

¡Todas las profecías que anteceden al arrebatamiento están cumplidas! Como lo hemos mencionado antes, estamos viviendo principio de dolores, todos los juicios de Dios se están mostrando, pero con menor intensidad. Y con ello, Dios nos está diciendo: «Voltéenme a ver, les estoy mandando señales, vengo pronto».

Hermanos y amigos, Dios hará justicia, eso es seguro. Todo aquel hombre que no se arrepienta de sus pecados y no se alinee a la voluntad de Dios tendrá que enfrentar el juicio de la condenación eterna.

La Biblia es el documento más fidedigno y en este debemos confiar; ninguna cosa motivada por el hombre, ninguna teoría hueca o falsa debe regir nuestra vida. La Biblia dice que habrá juicio, pero también dice que habrá vida eterna con Dios.

Tú decides, no hay una situación intermedia. Si no estás con Dios, estás con el diablo, pues del tibio dice: «Lo vomitaré de mi boca».

«¡Oh almas adúlteras! ¿No sabéis que la amistad del mundo es enemistad contra Dios? Cualquiera, pues, que quiera ser amigo del mundo, se constituye enemigo de Dios» (Santiago 4:4).

«Ninguno puede servir a dos señores; porque o aborrecerá al uno y amará al otro, o estimará al uno y menospreciará al otro. No podéis servir a Dios y a las riquezas» (Mateo 6:24).

Cuando tú buscas a Dios para que te dé riquezas, lo buscas por conveniencia y estás así dándole poca importancia a su sacrificio, porque por ese sacrificio obtenernos salvación del alma; más bien debes buscarlo por gratitud, por lo que Él hizo por ti en la cruz; y si Él decide bendecirte materialmente o no, de eso no depende tu actitud hacia Él. Lo amas porque Él te amó primero, y eso es todo. Comento esto porque hay varias sectas religiosas que utilizan esta fórmula para mostrar a Dios: «ven y tendrás prosperidad»; y mucha gente está siendo engañada por desconocer la Palabra. Estas son «Las sectas de la prosperidad».

A aquellos que tienen el eslogan *Pare de sufrir*, Dios ha dicho en su Palabra: «En el mundo tendréis aflicción...». No dice que con Él no habrá sufrimiento.

> «Estas cosas os he hablado para que en mí tengáis paz. En el mundo tendréis aflicción; pero confiad, yo he vencido al mundo» (Juan 16:33).

> «Cuando fueres a la casa de Dios, guarda tu pie; y acércate más para oír que para ofrecer el sacrificio de los necios; porque no saben que hacen mal» (Eclesiastés 5:1).

Actualmente hay muchas iglesias que predican lo que quieres escuchar, pero no predican lo que Dios quiere que escuchemos.

A los pastores y sacerdotes dice Dios que escuchen y vuelvan a ser ovejas. La meta de la iglesia no es la prosperidad, es la santidad. Que no se conviertan en lobos vestidos de oveja por falta de preparación y conocimiento de la Palabra.

Dios es el que pacta con sus hijos. Tú no puedes pactar con Dios, ni ningún predicador te puede decir: «Haz esto y Dios te va a bendecir», Dios es el que tiene el poder de pactar, es como decir que un hijo le herede al padre.

Le puedes prometer cosas a Dios siempre y cuando esto no deforme el plan que Él tiene para tu vida, y Dios sabrá si te concede tu petición o no y cuando, pero tu prioridad debe ser agradarlo. No confíes en ningún hombre, los hombres fallan, Dios no.

Y para poder agradarlo necesitas leer la Biblia. Tenemos de Dios muchas promesas de bendición; sin embargo, muchos hoy en día predican formas equivocadas de acercarnos a Él; y puede ser que de la forma que ellos dicen existan resultados, pero recuerda que también Satanás se presenta como ángel de luz, pero en realidad él anda como león rugiente, buscando a quien devorar.

La guerra del Armagedón

El tiempo que precede a la llegada del Mesías por segunda vez a la tierra será de mucha angustia, estamos hablando de la última etapa de los juicios de Dios.

La nación judía ha sufrido demasiado por su desobediencia; claro está, un buen padre es siempre más exigente con sus hijos. Entre los sufrimientos más grandes que Israel ha sufrido como nación están los siguientes:

⇒ La esclavitud en Egipto por 400 años.

⇒ La persecución del Imperio medo – persa, cuando se ordena la destrucción de los judíos.

⇒ En Babilonia, cuando Nabucodonosor ordenó la persecución y muerte de los judíos.

⇒ En la destrucción de Jerusalén, cuando los romanos — con el emperador Tito— destruyeron Jerusalén. (En ese evento murieron al menos 600,000 judíos).

⇒ En la inquisición española.

⇒ En la Segunda Guerra Mundial (Hitler mató más de 6 millones de judíos).

Todas estas desgracias son pequeñas comparadas con lo que vendrá para el pueblo hebreo (Israel).

> «¡Ah, cuán grande es aquel día! tanto, que no hay otro seme-jante a él; tiempo de angustia para Jacob [Israel]; pero de ella será librado» (Jeremías 30:7).

Todas las naciones y países vecinos de Israel enviarán sus tropas a la nación para conquistarla, Jerusalén se convertirá en un trofeo de guerra para el mundo.

¿Por qué el mundo peleará por Israel? Jerusalén es la ciudad más importante del mundo porque Dios tiene su trono ahí. Así como hay un trono de Dios en el cielo, existe un trono para Dios en la tierra, y este está en Jerusalén.

Cuando pedimos por la paz en Israel no significa que en este momento ella tendrá paz. Israel ya no descansará de sus enemigos durante este tiempo. Cuando pedimos por la paz de Israel, estamos pidiendo que Jesucristo instale su trono aquí en la tierra, y es entonces que podrá haber paz: Israel sólo tendrá paz cuando el Mesías gobierne (en el milenio, el siguiente tema).

> «Pedid por la paz de Jerusalén; Sean prosperados los que te aman» (Salmo 122:6).

> «Porque allá están las sillas del juicio, Los tronos de la casa de David» (Salmo 122:5).

El trono más importante de todo el mundo está en Jerusalén; no obstante, actualmente está vacío. El diablo lo quiere y lo conseguirá por un breve tiempo, el anticristo se hará pasar por el Mesías y el diablo hará uso del templo de Dios aquí en la tierra.

«Nadie os engañe en ninguna manera; porque no vendrá sin que antes venga la apostasía, y se manifieste el hombre de pecado, el hijo de perdición, el cual se opone y se levanta contra todo lo que se llama Dios o es objeto de culto; tanto que se sienta en el templo de Dios como Dios, haciéndose pasar por Dios» (2 Tesalonicenses 2:3-4).

Jerusalén es la embajada del cielo en la tierra.

Tres guerras están profetizadas en la Biblia que confirmarán el final de los juicios de Dios:

⇒ Rusia y los países árabes guerrean contra Israel.

⇒ Todas las naciones del mundo dan guerra a Israel.

⇒ Las naciones hacen guerra contra el Hijo de Dios y tratan de evitar que venga a gobernar el mundo.

Esta última será una guerra de ángeles contra humanos, aunque parezca ciencia ficción, el mundo verá una guerra interplanetaria, el fin de la Tercera Guerra Mundial será de humanos contra ángeles.

Jesucristo bajará con sus tropas a defender a Israel, será una batalla terrible (este versículo lo veremos más adelante). El que quiera pelear contra Israel, pelea contra Dios mismo.

«Jehová vuestro Dios, el cual va delante de vosotros, él peleará por vosotros, conforme a todas las cosas que hizo por vosotros en Egipto delante de vuestros ojos» (Deuteronomio 1:30).

La palabra *Jerusalén* aparece en la Biblia 652 veces en el Antiguo Testamento y 146 veces en el Nuevo Testamento, en el Corán de los musulmanes simplemente no aparece.

«He aquí yo pongo a Jerusalén por copa que hará temblar a todos los pueblos de alrededor contra Judá, en el sitio contra Jerusalén. Y en aquel día yo pondré a Jerusalén por piedra pesada a todos los pueblos; todos los que se la cargaren serán despedazados, bien que todas las naciones de la tierra se juntarán contra ella» (Zacarías 12:2-39).

Para los seis millones de palestinos (los descendientes de los filisteos bíblicos); para los 400 millones de árabes; y para los 1,800 millones de musulmanes que existen sobre la tierra, la presencia de los judíos en Jerusalén es una espina clavada en el ojo. Ellos siempre han querido acabar con los judíos y obtener el control de esa santa ciudad.

«He aquí, el día de Jehová viene, y en medio de ti serán repartidos tus despojos. <u>Porque yo reuniré a todas las naciones para combatir contra Jerusalén</u>; y la ciudad será tomada, y serán saqueadas las casas, y violadas las mujeres; y la mitad de la ciudad irá en cautiverio, mas el resto del pueblo no será cortado de la ciudad» (Zacarías 14:1-2).

Dios reunirá a las naciones para pelear contra Israel.

«El <u>sexto ángel derramó su copa</u> sobre el gran río Éufrates; y el agua de éste se secó, para que estuviese preparado el camino a los reyes del oriente. Y vi salir de la boca del dragón, y de la boca de la bestia, y de la boca del falso profeta, tres espíritus inmundos a manera de ranas; pues son espíritus de demonios, que hacen señales, y van a los reyes de la tierra en todo el mundo, para reunirlos a la batalla de aquel gran día del Dios Todopoderoso. He aquí, yo vengo como ladrón. Bienaventurado el que vela, y guarda sus ropas, para que no ande desnudo, y vean su vergüenza. Y los reunió en el lugar que en hebreo se llama Armagedón» (Apocalipsis 16:12-16).

<u>La sexta copa, el sexto sello y la sexta trompeta</u> se dan al mismo tiempo.

Habrá países que no seguirán al anticristo y no serán influenciados por él, así que irán a Jerusalén con sus ejércitos para pelear contra él en el lugar llamado Armagedón, lugar donde peleó David contra Goliat.

Se secará el Éufrates y por ahí entrarán los países para pelear contra el anticristo 200 millones de soldados, ningún civil. El anticristo estará preparado para recibirlos a todos.

«Y vi salir de la boca del dragón, y de la boca de la bestia, y de la boca del falso profeta, tres espíritus inmundos a manera de ranas» (Apocalipsis 16:13).

Lo mismo que sucedió en Egipto con la invasión de las ranas (una de las plagas de Egipto) sucederá de nuevo en el apocalipsis, al final de los tiempos.

En Egipto salieron langostas (quinta trompeta); y ahora ranas, que son espíritus de demonios que reunirán a los ejércitos para pelear la batalla. Estos espíritus convencerán a los gobernantes de un número de naciones para pelear a favor del anticristo (Apocalipsis 16:14).

Las naciones del mundo apoyarán al anticristo contra posiblemente los chinos (los que vienen de oriente por el río Éufrates); esta guerra de los chinos contra el resto de los países, se librará en Jerusalén —porque ahí estará la sede del anticristo—, a esta guerra se le llama la Guerra del Armagedón.

La Biblia nos habla de la inminente venida de nuestro Señor Jesucristo por este tiempo.

«Y los reunió en el lugar que en hebreo se llama Armagedón» (Apocalipsis 16:16).

«El sexto ángel tocó la trompeta, y oí una voz de entre los cuatro cuernos del altar de oro que estaba delante de Dios, diciendo al sexto ángel que tenía la trompeta: Desata a los cuatro ángeles que están atados junto al gran río Éufrates. Y fueron desatados los cuatro ángeles que estaban preparados para la hora, día, mes y año, a fin de matar a la tercera parte de los hombres» (Apocalipsis 9:13-15).

Cuando haya terminado la Guerra del Armagedón dos terceras partes de la humanidad habrán muerto, cuatro de cada seis personas morirán. Así el mundo quedará casi vacío.

«Y el número de los ejércitos de los jinetes era doscientos millones. Yo oí su número» (Apocalipsis 9:16).

Juan nos dice que él escuchó el número de los ejércitos del anticristo: 200 millones. La descripción de Juan es increíble. Hoy en día 200 millones de personas no es un gran número en comparación con la cantidad de habitantes que existen actualmente sobre la tierra. No obstante, en el tiempo en que vivió Juan, este número era impensable (no existía esta cantidad de habitantes en todo el mundo en esa época).

«Así vi en visión los caballos [tanques] y a sus jinetes [soldados], los cuales tenían corazas de fuego [tanques disparando], de zafiro y de azufre [armas químicas]. Y las cabezas de los caballos eran como cabezas de leones [parte superior de los tanques donde se encuentra el cañón]; y de su boca salían fuego [del cañón salía fuego], humo y azufre [armas químicas].Por estas tres plagas fue muerta la tercera parte de los hombres; por el fuego, el humo y el azufre que salían de su boca [tanques disparando armas químicas].Pues el poder de los caballos estaba en su boca [el cañón de los misiles en los tanques] y en sus colas [cuando un misil es lanzado deja un rastro (cola) de humo]; porque sus colas, semejantes a serpientes, tenían cabezas [la punta de los misiles], y con ellas dañaban [con que golpea el misil]» (Apocalipsis 9:17-19).

Corazas de fuego, zafiro y azufre; los acorazados de los tanques de fierro y armados con bombas químicas, ¿acaso no es de lo que se habla en el siglo XXI?

¿En qué guerra de la historia se han usaron armas químicas? (esto para los que dicen que el libro del Apocalipsis es un libro histórico). Juan tuvo que explicar —en su lenguaje—

el avance tecnológico del armamento que existiría en el futuro.

La descripción de Juan en el Apocalipsis es precisa, ¡esto es muy sorprendente!

Por estas tres plagas: fuego, humo y azufre fue muerta la tercera parte de la humanidad, todo como resultado de las guerras; y la otra tercera parte morirá por hambruna, inundaciones, terremotos, granizo, fuego que cae del cielo; y la otra tercera parte sobrevivirá.

El anticristo reunirá su ejército y buscará alcanzar los siguientes objetivos:

⇒ exterminar a los judíos, y

⇒ destruir a Jerusalén.

«En aquel día habrá gran llanto en Jerusalén, como el llanto de Hadadrimón en el valle de Meguido» (Zacarías 12:11).

En este versículo se habla de la guerra en el lugar llamado Meguido (Armagedón). Todas las naciones participarán en esta guerra.

«Reuniré a todas las naciones, y las haré descender al valle de Josafat, y allí entraré en juicio con ellas a causa de mi pueblo, y de Israel mi heredad, a quien ellas esparcieron entre las naciones, y repartieron mi tierra; y echaron suertes sobre mi pueblo, y dieron los niños por una ramera, y vendieron las niñas por vino para beber» (Joel 3:2-3).

Dios siempre se dirige a Israel como su pueblo y a Jerusalén lo llama mi tierra, por defender a Israel se provoca la Tercera Guerra Mundial.

«¡Ay de Ariel, de Ariel, ciudad donde habitó David! Añadid un año a otro, las fiestas sigan su curso. Mas yo pondré a Ariel en apretura, y será desconsolada y triste; y será a mí como Ariel. Porque acamparé contra ti alrededor, y te sitiaré con campamentos, y levantaré contra ti baluartes. Entonces serás humillada, hablarás desde la tierra, y tu habla saldrá del polvo; y será tu voz de la tierra como la de un fantasma, y tu habla susurrará desde el polvo. Y la muchedumbre de tus enemigos será como polvo menudo, y la multitud de los fuertes como tamo que pasa; y será repentinamente, en un momento. Por Jehová de los ejércitos serás visitada con truenos, con terremotos y con gran ruido, con torbellino y tempestad, y llama de fuego consumidor. Y será como sueño de visión nocturna la multitud de todas las naciones que pelean contra Ariel, y todos los que pelean contra ella y su fortaleza, y los que la ponen en apretura» (Isaías 29:1-7).

Será tan terrible la guerra, que Israel, en su intento de sobrevivencia, detonará una bomba nuclear.

«En aquel día, dice Jehová, heriré con pánico a todo caballo, y con locura al jinete; mas sobre la casa de Judá abriré mis ojos, y a todo caballo de los pueblos heriré con ceguera. Y los capitanes de Judá dirán en su corazón: Tienen fuerza los habitantes de Jerusalén en Jehová de los ejércitos, su Dios. En aquel día pondré a los capitanes de Judá como brasero de fuego entre leña, y como antorcha ardiendo entre gavillas; y consumirán a diestra y a siniestra a todos los pueblos alrededor; y Jerusalén será otra vez habitada en su lugar, en Jerusalén» (Zacarías 12:4-6).

«Y esta será la plaga con que herirá Jehová a todos los pueblos que pelearon contra Jerusalén: la carne de ellos se corromperá estando ellos sobre sus pies, y se consumirán en las cuencas sus ojos, y la lengua se les deshará en su boca. Y acontecerá en aquel día que habrá entre ellos gran pánico enviado por Jehová; y trabará cada uno de la mano de su compañero, y levantará su mano contra la mano de su compañero. Y Judá también peleará en Jerusalén. Y serán reunidas las riquezas de todas las naciones de alrededor: oro y plata, y ropas de vestir, en gran abundancia» (Zacarías 14:12-14).

El fuego saldrá de las entrañas de la tierra.

«Porque es día de venganza de Jehová, año de retribuciones en el pleito de Sion. Y sus arroyos se convertirán en brea, y su polvo en azufre, y su tierra en brea ardiente. No se apagará de noche ni de día, perpetuamente subirá su humo; de generación en generación será asolada, nunca jamás pasará nadie por ella» (Isaías 34:8-10).

Las dos terceras partes de la humanidad perecerán.

«Y en aquel día yo procuraré destruir a todas las naciones que vinieren contra Jerusalén» (Zacarías 12:9).

«Y acontecerá en toda la tierra, dice Jehová, que las dos terceras partes serán cortadas en ella, y se perderán; mas la tercera quedará en ella. Y meteré en el fuego a la tercera parte, y los fundiré como se funde la plata, y los probaré como se prueba el oro. Él invocará mi nombre, y yo le oiré, y diré: Pueblo mío; y él dirá: Jehová es mi Dios» (Zacarías 13:8-9).

«Se destruyó, cayó la tierra; enfermó, cayó el mundo; enfermaron los altos pueblos de la tierra. Y la tierra se contaminó bajo sus moradores; porque traspasaron las leyes, falsearon el derecho, quebrantaron el pacto sempiterno. Por esta causa la maldición consumió la tierra, y sus moradores fueron asolados; por esta causa fueron consumidos los habitantes de la tierra, y disminuyeron los hombres» (Isaías 24:4-6).

Israel clamará a Jehová para que envíe al Mesías.

«Alzaré mis ojos a los montes; ¿De dónde vendrá mi socorro? Mi socorro viene de Jehová, que hizo los cielos y la tierra. No dará tu pie al resbaladero ni se dormirá el que te guarda. He aquí, no se adormecerá ni dormirá El que guarda a Israel. Jehová es tu guardador; Jehová es tu sombra a tu mano derecha. El sol no te fatigará de día, ni la luna de noche. Jehová te guardará de todo mal; El guardará tu alma. Jehová guardará tu salida y tu entrada Desde ahora y para siempre» (Salmo 121).

Dios responderá a la oración de su pueblo.

«¿Por qué se amotinan las gentes y los pueblos piensan cosas vanas? Se levantarán los reyes de la tierra, Y príncipes consultarán unidos Contra Jehová y contra su ungido, diciendo: Rompamos sus ligaduras y echemos de nosotros sus cuerdas. El que mora en los cielos se reirá; El Señor se burlará de ellos. Luego hablará a ellos en su furor, y los turbará con su ira. Pero yo he puesto mi rey sobre Sion , mi santo monte. Yo publicaré el decreto; Jehová me ha dicho: Mi hijo eres tú; yo te engendré hoy. Pídeme, y te daré por herencia las naciones, Y como posesión tuya los confines de la tierra. Los quebrantarás con vara de hierro; Como vasija de alfarero los desmenuzarás. Ahora, pues, oh reyes, sed prudentes; Admitid amonestación, jueces de la tierra. Servid a Jehová con temor, y alegraos con temblor. Honrad al Hijo, para que no se enoje, y perezcáis en el camino; Pues se inflama de pronto su ira. Bienaventurados todos los que en él confían» (Salmo 2:1-12).

Dios se compadecerá de su pueblo y vendrá.

El glorioso regreso del Mesías a Israel

(La batalla de ángeles versus seres humanos)

«Entonces vi el cielo abierto; y he aquí un caballo blanco, y el que lo montaba se llamaba Fiel y Verdadero, y con justicia juzga y pelea. Sus ojos eran como llama de fuego, y había en su cabeza muchas diademas; y tenía un nombre escrito que ninguno conocía sino él mismo. Estaba vestido de una ropa teñida en sangre; y su nombre es: EL VERBO DE DIOS. Y los ejércitos celestiales, vestidos de lino finísimo, blanco y limpio, le seguían en caballos blancos. De su boca sale una espada aguda, para herir con ella a las naciones, y él las regirá con vara de hierro; y él pisa el lagar del vino del furor y de la ira del Dios Todopoderoso. Y en su vestidura y en su muslo tiene escrito este nombre: Rey de reyes y Señor de señores. Y vi a un ángel que estaba en pie en el sol, y clamó a gran voz, diciendo a todas las aves que vuelan en medio del cielo:

Venid, y congregaos a la gran cena de Dios, para que comáis carnes de reyes y de capitanes, y carnes de fuertes, carnes de caballos y de sus jinetes, y carnes de todos, libres y esclavos, pequeños y grandes» (Apocalipsis 19:11-18).

El Armagedón es el cierre o la parte conclusiva de una serie de desastres y calamidades en todo el mundo, una batalla que pone fin a la Tercera Guerra Mundial. La Tercera Guerra Mundial es un proceso largo que finalizará con la batalla del Armagedón.

«Y estando ellos con los ojos puestos en el cielo, entre tanto que él se iba, he aquí se pusieron junto a ellos dos varones con vestiduras blancas, los cuales también les dijeron: Varones galileos, ¿por qué estáis mirando al cielo? Este mismo Jesús, que ha sido tomado de vosotros al cielo, así vendrá como le habéis visto ir al cielo» (Hechos 1:10-11).

Las puertas de los cielos se abrirán en respuesta a la oración de Israel.

«Después saldrá Jehová y peleará con aquellas naciones, como peleó en el día de la batalla. Y se afirmarán sus pies en aquel día sobre el monte de los Olivos, que está en frente de Jerusalén al oriente; y el monte de los Olivos se partirá por en medio, hacia el oriente y hacia el occidente, haciendo un valle muy grande; y la mitad del monte se apartará hacia el norte, y la otra mitad hacia el sur» (Zacarías 14:3-4).

«Estruendo de multitud en los montes, como de mucho pueblo; estruendo de ruido de reinos, de naciones reunidas; Jehová de los ejércitos pasa revista a las tropas para la batalla. Vienen de lejana tierra, de lo postrero de los cielos, Jehová y los instrumentos de su ira, para destruir toda la tierra. Aullad, porque cerca está el día de Jehová; vendrá como asolamiento del Todopoderoso. Por tanto, toda mano se debilitará, y desfallecerá todo corazón de hombre, y se llenarán de terror; angustias y dolores se apoderarán de ellos; tendrán dolores como mujer de parto; se asombrará cada cual al mirar a su compañero; sus rostros, rostros de llamas. He aquí el día de Jehová viene, terrible, y de indignación y ardor de ira, para convertir la tierra en soledad, y raer de ella a sus pecadores. Por lo cual las estrellas de los cielos y sus luceros no darán su luz; y el sol se oscurecerá al nacer, y la luna no dará su resplandor. Y castigaré al mundo por su maldad, y a los impíos por su iniquidad; y haré que cese la arrogancia de los soberbios, y abatiré la altivez de los fuertes» (Isaías 13:4-11).

Ese momento rugirá el Mesías como el León de Judá y será visto en Israel.

«Y Jehová rugirá desde Sion, y dará su voz desde Jerusalén, y temblarán los cielos y la tierra; pero Jehová será la esperanza de su pueblo, y la fortaleza de los hijos de Israel» 8Joel 3:16).

«Súbete sobre un monte alto, anunciadora de Sion; levanta fuertemente tu voz, anunciadora de Jerusalén; levántala, no temas; di a las ciudades de Judá: ¡Ved aquí al Dios vuestro! He aquí que Jehová el Señor vendrá con poder, y su brazo señoreará; he aquí que su recompensa viene con él, y su paga delante de su rostro» (Isaías 40:9-10).

«Porque es justo delante de Dios pagar con tribulación a los que os atribulan, y a vosotros que sois atribulados, daros reposo con nosotros, cuando se manifieste el Señor Jesús desde el cielo con los ángeles de su poder, en llama de fuego, para dar retribución a los que no conocieron a Dios, ni obedecen al evangelio de nuestro Señor Jesucristo; los cuales sufrirán pena de eterna perdición, excluidos de la presencia del Señor y de la gloria de su poder, cuando venga en aquel día para ser glorificado en sus santos y ser admirado en todos los que creyeron (por cuanto nuestro testimonio ha sido creído entre vosotros)» (2 Tesalonicenses 1:6-10).

El Señor vendrá con millones de ángeles y hará juicio a las naciones.

«Cuando el Hijo del Hombre venga en su gloria, y todos los santos ángeles con él, entonces se sentará en su trono de gloria, y serán reunidas delante de él todas las naciones; y apartará los unos de los otros, como aparta el pastor las ovejas de los cabritos. Y pondrá las ovejas a su derecha, y los cabritos a su izquierda. Entonces el Rey dirá a los de su derecha: Venid, benditos de mi Padre, heredad el reino preparado para vosotros desde la fundación del mundo» (Mateo 25:31-34).

Las ovejas son los gentiles que aman a Israel, los cabritos los enemigos de Israel, los hermanos de Jesús, los judíos.

«Entonces aparecerá la señal del Hijo del Hombre en el cielo; y entonces lamentarán todas las tribus de la tierra, y verán al Hijo del Hombre viniendo sobre las nubes del cielo, con poder y gran gloria. Y enviará sus ángeles con gran voz de trompeta, y juntarán a sus escogidos, de los cuatro vientos, desde un extremo del cielo hasta el otro» (Mateo 24:30-31).

«Enviará el Hijo del Hombre a sus ángeles, y recogerán de su reino a todos los que sirven de tropiezo, y a los que hacen iniquidad, y los echarán en el horno de fuego; allí será el lloro y el crujir de dientes. Entonces los justos resplandecerán como el sol en el reino de su Padre. El que tiene oídos para oír, oiga» (Mateo 13:41-43).

«Entonces verán al Hijo del Hombre, que vendrá en las nubes con gran poder y gloria. Y entonces enviará sus ángeles, y juntará a sus escogidos de los cuatro vientos, desde el extremo de la tierra hasta el extremo del cielo» (Marcos 13:26-27).

«Y los ejércitos celestiales, vestidos de lino finísimo, blanco y limpio, le seguían en caballos blancos» (Apocalipsis 19:14).

«Delante de él temblará la tierra, se estremecerán los cielos; el sol y la luna se oscurecerán, y las estrellas retraerán su resplandor. Y Jehová dará su orden delante de su ejército; porque muy grande es su campamento; fuerte es el que ejecuta su orden; porque grande es el día de Jehová, y muy terrible; ¿quién podrá soportarlo» (Joel 2:10-11).

Todo ojo le verá.

«Miraba yo en la visión de la noche, y he aquí con las nubes del cielo venía uno como un hijo de hombre, que vino hasta el Anciano de días, y le hicieron acercarse delante de él» (Daniel 7:13).

«He aquí que viene con las nubes, y todo ojo le verá, y los que le traspasaron; y todos los linajes de la tierra harán lamentación por él. Sí, amén. Yo soy el Alfa y la Omega, principio y fin, dice el Señor, el que es y que era y que ha de venir, el Todopoderoso» (Apocalipsis 1:7-8).

«Entonces verán al Hijo del Hombre, que vendrá en las nubes con gran poder y gloria» (Marcos 13:26).

El sufrimiento será aterrador como nunca en la historia y la gente tendrá que esconderse.

«Y los reyes de la tierra, y los grandes, los ricos, los capitanes, los poderosos, y todo siervo y todo libre, se escondieron en las cuevas y entre las peñas de los montes; y decían a los montes y a las peñas: Caed sobre nosotros, y escondednos del rostro de aquel que está sentado sobre el trono, y de la ira del Cordero; porque el gran día de su ira ha llegado; ¿y quién podrá sostenerse en pie?» (Apocalipsis 6:15-17).

«Y se meterán en las cavernas de las peñas y en las aberturas de la tierra, por la presencia temible de Jehová, y por el resplandor de su majestad, cuando él se levante para castigar la tierra» (Isaías 2:19).

«¿Y quién podrá soportar el tiempo de su venida? ¿o quién podrá estar en pie cuando él se manifieste? Porque él es como fuego purificador, y como jabón de lavadores» (Malaquías 3:2).

El anticristo no se dará por vencido cuando regrese el Mesías y lo atacará, pero Jesucristo vencerá.

«Y los diez cuernos que has visto, son diez reyes, que aún no han recibido reino; pero por una hora recibirán autoridad como reyes juntamente con la bestia. Estos tienen un mismo propósito, y entregarán su poder y su autoridad a la bestia. Pelearán contra el Cordero, y el Cordero los vencerá, porque él es Señor de señores y Rey de reyes; y los que están con él son llamados y elegidos y fieles» (Apocalipsis 17:12-14).

«Y vi a la bestia, a los reyes de la tierra y a sus ejércitos, reunidos para guerrear contra el que montaba el caballo, y contra su ejército» (Apocalipsis 19:19).

Las dos bestias, el anticristo, Satanás y el falso profeta serán lanzados al lago de fuego. Jesús ordena que atrapen al anticristo y al falso profeta:

«Y vi a la bestia, a los reyes de la tierra y a sus ejércitos, reunidos para guerrear contra el que montaba el caballo, y contra su ejército. Y la bestia fue apresada, y con ella el falso profeta que había hecho delante de ella las señales con las cuales había engañado a los que recibieron la marca de la bestia, y habían adorado su imagen. Estos dos fueron lanzados vivos dentro de un lago de fuego que arde con azufre. Y los demás fueron muertos con la espada que salía de la boca del que montaba el caballo, y todas las aves se saciaron de las carnes de ellos» (Apocalipsis 19:19-21).

El único que podrá detener a la bestia será el Mesías.

«Y entonces se manifestará aquel inicuo, a quien el Señor matará con el espíritu de su boca, y destruirá con el resplandor de su venida» (2 Tesalonicenses 2:8).

«Con su sagacidad hará prosperar el engaño en su mano; y en su corazón se engrandecerá, y sin aviso destruirá a muchos; y se levantará contra el Príncipe de los príncipes, pero será quebrantado, aunque no por mano humana» (Daniel 8:25).

«Y plantará las tiendas de su palacio entre los mares y el monte glorioso y santo; mas llegará a su fin, y no tendrá quien le ayude» (Daniel 11:45).

«Pero se sentará el Juez, y le quitarán su dominio para que sea destruido y arruinado hasta el fin» (Daniel 7:26).

Los ayudantes del anticristo también perecerán junto con Satanás.

«Habían también quitado a las otras bestias su dominio, pero les había sido prolongada la vida hasta cierto tiempo» (Daniel 7:12).

«Y vi a un ángel que estaba en pie en el sol, y clamó a gran voz, diciendo a todas las aves que vuelan en medio del cielo: Venid, y congregaos a la gran cena de Dios, para que comáis carnes de reyes y de capitanes, y carnes de fuertes, carnes de caballos y de sus jinetes, y carnes de todos, libres y esclavos, pequeños y grandes. Y vi a la bestia, a los reyes de la tierra y a sus ejércitos, reunidos para guerrear contra el que montaba el caballo, y contra su ejército. Y la bestia fue apresada, y con ella el falso profeta que había hecho delante de ella las señales con las cuales había engañado a los que recibieron la marca de la bestia, y habían adorado su imagen. Estos dos fueron lanzados vivos dentro de un lago de fuego que arde con azufre» (Apocalipsis 19:17-21).

«Y que el reino, y el dominio y la majestad de los reinos debajo de todo el cielo, sea dado al pueblo de los santos del Altísimo, cuyo reino es reino eterno, y todos los dominios le servirán y obedecerán» (Daniel 7:27).

Tras la victoria del Mesías se instaurará el reino de Dios en la tierra por mil años, este período es llamado «El milenio», nuestro siguiente tema.

«Miraba yo en la visión de la noche, y he aquí con las nubes del cielo venía uno como un hijo de hombre, que vino hasta el Anciano de días, y le hicieron acercarse delante de él. Y le fue dado dominio, gloria y reino, para que todos los pueblos, naciones y lenguas le sirvieran; su dominio es dominio eterno, que nunca pasará, y su reino uno que no será destruido» (Daniel 7:13-14).

«Y veía yo que este cuerno hacía guerra contra los santos, y los vencía, hasta que vino el Anciano de días, y se dio el juicio a los santos del Altísimo; y llegó el tiempo, y los santos recibieron el reino» (Daniel 7:21-22).

«y que el reino, y el dominio y la majestad de los reinos debajo de todo el cielo, sea dado al pueblo de los santos del Altísimo, cuyo reino es reino eterno, y todos los dominios le servirán y obedecerán» (Daniel 7:27).

El diablo será atrapado por mil años para dar lugar al milenio, el reinado de Jesucristo en la tierra.

«Vi a un ángel que descendía del cielo, con la llave del abismo, y una gran cadena en la mano. Y prendió al dragón, la serpiente antigua, que es el diablo y Satanás, y lo ató por mil años; y lo arrojó al abismo, y lo encerró, y puso su sello sobre él, para que no engañase más a las naciones, hasta que fuesen cumplidos mil años; y después de esto debe ser desatado por un poco de tiempo» (Apocalipsis 20 :1-3).

Diferencia entre el arrebatamiento y la segunda venida

Acabamos de terminar el tema de la segunda venida de Cristo; y puesto que actualmente algunas iglesias confunden la segunda venida con el arrebatamiento de la iglesia, vale la pena hacer una pequeña tabla comparativa de los eventos por venir. Es muy común que los evangélicos hablen de la venida de nuestro Señor Jesucristo como un evento que está cercano, pero este no es el evento que estamos esperando, sino el arrebatamiento. En el gráfico pueden distinguirse diez diferencias entre ambos eventos:

TABLA COMPARATIVA ENTRE EL ARREBATAMIENTO Y LA
SEGUNDA VENIDA

ARREBATAMIENTO	SEGUNDA VENIDA
Jesucristo viene por su iglesia, **su novia, antes de la tribulación.**	Jesucristo **viene a defender a Israel** (Armagedón).
Jesucristo no llega a la tierra **solamente llega a las nubes.**	Jesucristo **baja a la tierra.**
Aparece visiblemente solo a los creyentes.	**Todo ojo le verá** inclusive los impíos.
Satanás **es** lanzado **del cielo** a la tierra.	**Satanás es encerrado** por mil años.
Sucederá en un abrir y cerrar de ojos **en todo el mundo.**	**Es un proceso lento** de guerra, habrá guerra en diferentes lugares.
Ocurre como un ladrón en la noche, a la hora que no pienses.	Ocurre **al final de los siete años** de la tribulación, el día exacto se predice.
Jesús viene como Salvador, **a librar a la iglesia del juicio.**	**Jesús viene lleno de ira** contra los enemigos de Israel.
Viene a recoger a los creyentes.	**Regresa con los creyentes.**
Viene por su novia, **la iglesia.**	Regresa **con su esposa** después de las bodas del Cordero.
Recoge a la iglesia **e inicia la tribulación.**	**Regresa a Israel** a establecer el Milenio.

Hemos terminado con los juicios de Dios mencionados en el libro del Apocalipsis. Sin duda, podemos ver que el sufrimiento que experimentará la humanidad será algo sin precedentes; sin embargo, el apocalipsis no es el final del plan de Dios. Muchas películas hablan del fin del mundo, pero lo que presentan no concuerda con el plan de Dios. Los creyentes estamos esperando el siguiente evento importante y este es el arrebatamiento.

Para el fin del mundo faltan más de mil años, el mundo no se acabará hasta después del año 3000. Eso nos lleva al siguiente tema: el milenio, un tema fascinante del cual hablaremos enseguida.

CAPÍTULO 10

El Milenio

Actualmente, el reino de Dios es espiritual, comienza cuando un pecador se arrepiente y cree en el Señor Jesucristo como su único y suficiente salvador; en ese momento el pecador es transformado en una nueva creatura por el poder de Dios, es sellado con el Espíritu Santo, se instaura el reino de Dios en su corazón y comienza su crecimiento en la doctrina.

No obstante, esto es sólo una etapa en el plan de Dios para la humanidad, ya que llegará el día en que el reino de Dios se instale política y visiblemente en toda la tierra: a toda persona, a toda lengua; todos serán gobernados por el Hijo de Dios y por su Iglesia.

El Milenio comienza cuando la batalla del Armagedón termina, los juicios de Dios descritos en el Apocalipsis culminan con el descenso de Jesucristo por segunda vez a la tierra, visible a todo ser humano. Jesucristo hará juicio a las naciones, el falso profeta y el anticristo serán lanzados al lago de fuego y el diablo (la serpiente antigua) será encerrado en prisiones de obscuridad para ser suelto por un poco de tiempo al final de los mil años (Apocalipsis 2:3).

Se ha llamado *Milenio* al período de mil años en donde Cristo y su Iglesia reinarán. Es un período de tiempo en donde existirá un mundo sin sufrimiento, sin enfermedad, sin desgracia; sin muerte como consecuencia de desastres naturales tales como: terremotos, inundaciones, erupciones volcánicas, tsunamis, incendios, etc. Un mundo sin guerras entre naciones, sin terrorismo, sin violencia por el incremento de la maldad, sin discriminación de cualquier tipo.

En el Milenio habrá un mundo donde reinará la paz, la alegría y la armonía. Para mucha gente esto es imposible, pero la Biblia enseña que algo así tendrá lugar en algún momento de la historia de la humanidad. Sin embargo, el mundo —las naciones que sobrevivan a la tribulación— será gobernado con vara de hierro.

Este reino político-teocrático tendrá su sede en Jerusalén, la ciudad santa, y el Señor Jesucristo reinará con la Iglesia, la cual vendrá ya galardonada (luego del tribunal de Cristo), desposada y con cuerpos glorificados.

Con el Milenio se cumplirán muchas promesas y profecías establecidas por Dios en su Palabra para las naciones, para Israel (el remanente), para la Iglesia y para Satanás y sus demonios. Si elimináramos el periodo del Milenio del plan de Dios para esta creación la profecía quedaría incompleta. La Biblia establece que después del fin del mundo, los hijos de Dios estaremos con Él por la eternidad, pero antes —Jesucristo lo declaro en el sermón del monte—, no pasará el cielo ni la tierra hasta que todo lo escrito en su Palabra se haya cumplido.

Dios mismo, a través de los profetas del Antiguo Testamento, quienes fueron inspirados por el Espíritu Santo, estableció innumerables promesas para la nación de Israel (el remanente) con relación al reino Milenario, el cual Él preparó desde antes de la fundación del mundo.

Una promesa trascendental para la Iglesia, para Israel y para los gentiles, y que será cumplida al comienzo de este periodo de 1,000 años después de la segunda venida de Cristo, es:

> «Para que en el nombre de Jesús se doble toda rodilla de los que están en los cielos, y en la tierra, y debajo de la tierra; y toda lengua confiese que Jesucristo es el Señor, para gloria de Dios Padre» (Filipenses 2:10-11).

Cuando el Milenio se establezca en la tierra las leyes que ahora conocemos con relación a la naturaleza, los animales, la política, las tentaciones y al pecado cambiarán. La tierra entonces será un lugar muy parecido al paraíso de Adán y Eva. Veremos a continuación los versículos de la Biblia que hablan de cómo será el milenio.

Los cambios del milenio

⇒ Se acabarán los secuestros, los ladrones, la violencia.

> «Porque el violento será acabado, y el escarnecedor será consumido; serán destruidos todos los que se desvelan para hacer iniquidad» (Isaías 29:20).

«Nunca más se oirá en tu tierra violencia, destrucción ni quebrantamiento en tu territorio, sino que a tus muros llamarás Salvación, y a tus puertas Alabanza» (Isaías 60:18).

⇒ No se adiestrarán más para la guerra, se acabarán las guerras, no habrá armas, ni naves de guerra.

«Y vendrán muchos pueblos, y dirán: Venid, y subamos al monte de Jehová, a la casa del Dios de Jacob; y nos enseñará sus caminos, y caminaremos por sus sendas. Porque de Sion saldrá la ley, y de Jerusalén la palabra de Jehová. Y juzgará entre las naciones, y reprenderá a muchos pueblos; y volverán sus espadas en rejas de arado, y sus lanzas en hoces; no alzará espada nación contra nación, ni se adiestrarán más para la guerra» (Isaías 2:3-4).

«Venid, ved las obras de Jehová, Que ha puesto asolamientos en la tierra. Que hace cesar las guerras hasta los fines de la tierra. Que quiebra el arco, corta la lanza, Y quema los carros en el fuego. Estad quietos, y conoced que yo soy Dios; Seré exaltado entre las naciones; enaltecido seré en la tierra. Jehová de los ejércitos está con nosotros; Nuestro refugio es el Dios de Jacob» (Salmo 46:8-11).

⇒ A causa de la ausencia de guerra habrá paz.

«Y de Efraín destruiré los carros, y los caballos de Jerusalén, y los arcos de guerra serán quebrados; y hablará paz a las naciones, y su señorío será de mar a mar, y desde el río hasta los fines de la tierra» (Zacarías 9:10).

«Toda la tierra está en reposo y en paz; se cantaron alabanzas» (Isaías 14:7).

«Jehová, tú nos darás paz, porque también hiciste en nosotros todas nuestras obras» (Isaías 26:12).

Desaparecerá la cadena alimenticia de los animales. Dios maldijo la tierra cuando Adán y Eva pecaron y por esta razón hoy los animales se comen unos a otros, pero esto cambiará.

La naturaleza estará en armonía; el gato no fue hecho para comerse al ratón, sino que el pecado trastórnó la naturaleza; por culpa del pecado, aún los animales tienen que luchar para sobrevivir comiéndose unos a otros, pero ese no era el plan original de Dios.

«Morará el lobo con el cordero, y el leopardo con el cabrito se acostará; el becerro y el león y la bestia doméstica andarán juntos, y un niño los pastoreará. La vaca y la osa pacerán, sus crías se echarán juntas; y el león como el buey comerá paja. Y el niño de pecho jugará sobre la cueva del áspid, y el recién destetado extenderá su mano sobre la caverna de la víbora. No harán mal ni dañarán en todo mi santo monte; porque la tierra será llena del conocimiento de Jehová, como las aguas cubren el mar» (Isaías 11:6-9).

⇒ La tierra será prosperada, el que siembre, cosechará sin ningún problema, será algo fácil.

«Entonces dará el Señor lluvia a tu sementera, cuando siembres la tierra, y dará pan del fruto de la tierra, y será abundante y pingüe; tus ganados en aquel tiempo serán apacentados en espaciosas dehesas. Tus bueyes y tus asnos que labran la tierra comerán grano limpio, aventado con pala y criba. Y sobre todo monte alto, y sobre todo collado elevado, habrá ríos y corrientes de aguas el día de la gran matanza, cuando caerán las torres» (Isaías 30:23-25).

⇒ No habrá enfermedades.

«No dirá el morador: Estoy enfermo; al pueblo que more en ella le será perdonada la iniquidad» (Isaías 33:24).

⇒ No habrá deformidades físicas.

«En aquel tiempo los sordos oirán las palabras del libro, y los ojos de los ciegos verán en medio de la oscuridad y de las tinieblas» (Isaías 29:18).

«Entonces los ojos de los ciegos serán abiertos, y los oídos de los sordos se abrirán. Entonces el cojo saltará como un ciervo, y cantará la lengua del mudo; porque aguas serán cavadas en el desierto, y torrentes en la soledad» (Isaías 35:5-6).

⇒ No habrá más dolor.

«Y vendrán con gritos de gozo en lo alto de Sion, y correrán al bien de Jehová, al pan, al vino, al aceite, y al ganado de las ovejas y de las vacas; y su alma será como huerto de riego, y nunca más tendrán dolor» (Jeremías 31:12).

⇒ No habrá hospitales, habrá un árbol para sanidad.

«En medio de la calle de la ciudad, y a uno y otro lado del río, estaba el árbol de la vida, que produce doce frutos, dando cada mes su fruto; y las hojas del árbol eran para la sanidad de las naciones» (Apocalipsis 22:2).

⇒ Jesucristo hará un banquete de recepción para sus hijos.

«Y Jehová de los ejércitos hará en este monte a todos los pueblos banquete de manjares suculentos, banquete de vinos refinados, de gruesos tuétanos y de vinos purificados» (Isaías 25:6).

«Porque vendrán del oriente y del occidente, del norte y del sur, y se sentarán a la mesa en el reino de Dios» (Lucas 13:29).

⇒ Desaparecerá la hambruna en la tierra.

«Comeréis hasta saciaros, y alabaréis el nombre de Jehová vuestro Dios, el cual hizo maravillas con vosotros; y nunca jamás será mi pueblo avergonzado. Y conoceréis que en medio de Israel estoy yo, y que yo soy Jehová vuestro Dios, y no hay otro; y mi pueblo nunca jamás será avergonzado» (Joel 2:26-27).

⇒ La gente será muy longeva.

La gente será longeva, volverá a vivir muchos años: 800, 900, 1,000 años.

«No edificarán para que otro habite, ni plantarán para que otro coma; porque según los días de los árboles serán los días de mi pueblo, y mis escogidos disfrutarán la obra de sus manos» (Isaías 65:22).

«No habrá más allí niño que muera de pocos días, ni viejo que sus días no cumpla; porque el niño morirá de cien años, y el pecador de cien años será maldito» (Isaías 65:20).

⇒ La población aumentará rápidamente y tendrá alegría.

«Y acontecerá en toda la tierra, dice Jehová, que las dos terceras partes serán cortadas en ella, y se perderán; mas la tercera quedará en ella. Y meteré en el fuego a la tercera parte, y los fundiré como se funde la plata, y los probaré como se prueba el oro. El invocará mi nombre, y yo le oiré, y diré: Pueblo mío; y él dirá: Jehová es mi Dios» (Zacarías 13:8-9).

«Aumentaste el pueblo, oh Jehová, aumentaste el pueblo; te hiciste glorioso; ensanchaste todos los confines de la tierra» (Isaías 26:15).

«Multiplicaste la gente, y aumentaste la alegría. Se alegrarán delante de ti como se alegran en la siega, como se gozan cuando reparten despojos» (Isaías 9:3).

⇒ No habrá más idólatras.

Después de la tribulación, la gran tribulación y la Guerra del Armagedón una parte de la población mundial sobrevivirá. Estos entenderán que la idolatría es pecado y Jesucristo será el Dios de toda la tierra.

«Y quitará totalmente los ídolos» (Isaías 2:18).

«Entonces profanarás la cubierta de tus esculturas de plata, y la vestidura de tus imágenes fundidas de oro; las apartarás como trapo asqueroso; ¡Sal fuera! les dirás» (Isaías 30:22).

«Porque en aquel día arrojará el hombre sus ídolos de plata y sus ídolos de oro, que para vosotros han hecho vuestras manos pecadoras» (Isaías 31:7).

«Y volverán allá, y quitarán de ella todas sus idolatrías y todas sus abominaciones» (Ezequiel 11:18).

Dios nos manda hoy en día que quitemos la idolatría, Él
siempre ha tenido una postura radical al respecto. Así, ésta se
menciona constantemente en sus mandamientos y advierte
respecto a las consecuencias de la desobediencia.

> «Por tanto, amados míos, huid de la idolatría» (1 Corintios
> 10:14).

> «No tendrás dioses ajenos delante de mí. No te harás ima-
> gen, ni ninguna semejanza de lo que esté arriba en el cielo,
> ni abajo en la tierra, ni en las aguas debajo de la tierra. No te
> inclinarás a ellas, ni las honrarás; porque yo soy Jehová tu
> Dios, fuerte, celoso, que visito la maldad de los padres sobre
> los hijos hasta la tercera y cuarta generación de los que me
> aborrecen» (Éxodo 20:3-5).

La idolatría ha sido reprobada por Dios desde siempre, Él
siempre ha sido tajante con esto. Si hoy en día tienes ídolos o
tienes tu confianza en esculturas ¡deséchalas!

Los soldados dejarán de usar uniforme militar y dejarán
de usar armamento; la gente ya no se tendrá que preparar
para matar a nadie, la paz no tendrá límite.

> «Porque todo calzado que lleva el guerrero en el tumulto de
> la batalla, y todo manto revolcado en sangre, serán quema-
> dos, pasto del fuego. Porque un niño nos es nacido, hijo nos
> es dado, y el principado sobre su hombro; y se llamará su
> nombre Admirable, Consejero, Dios Fuerte, Padre Eterno,
> Príncipe de Paz. Lo dilatado de su imperio y la paz no ten-
> drán límite, sobre el trono de David y sobre su reino, dispo-
> niéndolo y confirmándolo en juicio y en justicia desde ahora
> y para siempre. El celo de Jehová de los ejércitos hará es-
> to» (Isaías 9:5-7).

Acabarán las guerras, acabarán los soldados y el Príncipe
de Paz instalará su gobierno. Su imperio no tendrá límite y se

sentará en el trono de David su padre (Lucas 1:32), y gobernará desde Jerusalén.

En la oración del Padre Nuestro decimos: «Haz tu voluntad, como en el cielo, así también en la tierra»; con esto estamos pidiendo que el milenio sea instalado en la tierra. En esta etapa es cuando se logra la paz, por lo tanto, este es el plan de Dios para el mundo; no está contemplada la paz hasta después de la tribulación. El milenio será un auténtico reino de paz.

Todos los países hablarán un mismo idioma, como era antes de la torre de Babel.

«En aquel tiempo devolveré yo a los pueblos pureza de labios, para que todos invoquen el nombre de Jehová, para que le sirvan de común consentimiento» (Sofonías 3:9).

⇒ La gente y la iglesia cambiarán de nombre.

«Al que venciere, yo lo haré columna en el templo de mi Dios, y nunca más saldrá de allí; y escribiré sobre él el nombre de mi Dios, y el nombre de la ciudad de mi Dios, la nueva Jerusalén, la cual desciende del cielo, de mi Dios, y mi nombre nuevo» (Apocalipsis 3:12).

«El que tiene oído, oiga lo que el Espíritu dice a las iglesias. Al que venciere, daré a comer del maná escondido, y le daré una piedrecita blanca, y en la piedrecita escrito un nombre nuevo, el cual ninguno conoce sino aquel que lo recibe» (Apocalipsis 2:17).

«Entonces verán las gentes tu justicia, y todos los reyes tu gloria; y te será puesto un nombre nuevo, que la boca de Jehová nombrará» (Isaías 62:2).

«Y dejaréis vuestro nombre por maldición a mis escogidos, y Jehová el Señor te matará, y a sus siervos llamará por otro nombre» (Isaías 65:15).

Cuando el Hijo del Hombre gobierne sobre la tierra desde Jerusalén, todo volverá a ser como fue en el huerto del Edén, antes del pecado.

⇒ Los niños podrán jugar aún con la víbora y animales salvajes.

«Morará el lobo con el cordero, y el leopardo con el cabrito se acostará; el becerro y el león y la bestia doméstica andarán juntos, y un niño los pastoreará. La vaca y la osa pacerán, sus crías se echarán juntas; y el león como el buey comerá paja Y el niño de pecho jugará sobre la cueva del áspid, y el recién destetado extenderá su mano sobre la caverna de la víbora. No harán mal ni dañarán en todo mi santo monte; porque la tierra será llena del conocimiento de Jehová, como las aguas cubren el mar. Acontecerá en aquel tiempo que la raíz de Isaí, la cual estará puesta por pendón a los pueblos, será buscada por las gentes; y su habitación será gloriosa» (Isaías 11:6-10).

«El lobo y el cordero serán apacentados juntos» (Isaías 65:25).

⇒ Todos obedecerán una sola ley.

«Lo que vio Isaías hijo de Amoz acerca de Judá y de Jerusalén. Acontecerá en lo postrero de los tiempos, que será confirmado el monte de la casa de Jehová como cabeza de los montes, y será exaltado sobre los collados, y correrán a él todas las naciones. Y vendrán muchos pueblos, y dirán: Venid, y subamos al monte de Jehová, a la casa del Dios de Jacob; y nos enseñará sus caminos, y caminaremos por sus sendas. Porque de Sion saldrá la ley, y de Jerusalén la palabra de Jehová» (Isaías 2:1-3).

¿Qué pasará con el sábado? (día de reposo)

⇒ Habrá día de reposo general.

«Y de mes en mes, y de día de reposo en día de reposo, vendrán todos a adorar delante de mí, dijo Jehová» (Isaías 66:23).

⇒ El pueblo de Israel seguirá celebrando la pascua.

«Vosotros tendréis cántico como de noche en que se celebra pascua, y alegría de corazón, como el que va con flauta para venir al monte de Jehová, al Fuerte de Israel» (Isaías 30:29).

⇒ Los desiertos reverdecerán.

Todos los desiertos del mundo: el Sahara, el desierto de Atacama en Chile, todos reverdecerán, no habrá lugar en la tierra que no produzca fruto y vegetación.

⇒ Toda la tierra volverá a ser fructífera al 100%.

«Entonces dará el Señor lluvia a tu sementera, cuando siembres la tierra, y dará pan del fruto de la tierra, y será abundante y pingüe; tus ganados en aquel tiempo serán apacentados en espaciosas dehesas. Tus bueyes y tus asnos que labran la tierra comerán grano limpio, aventado con pala y criba. Y sobre todo monte alto, y sobre todo collado elevado, habrá ríos y corrientes de aguas el día de la gran matanza, cuando caerán las torres» (Isaías 30:23-25).

«hasta que sobre nosotros sea derramado el Espíritu de lo alto, y el desierto se convierta en campo fértil, y el campo fértil sea estimado por bosque. Y habitará el juicio en el desierto, y en el campo fértil morará la justicia» (Isaías 32:15-16).

«Se alegrarán el desierto y la soledad; el yermo se gozará y florecerá como la rosa. Florecerá profusamente, y también se alegrará y cantará con júbilo; la gloria del Líbano le será dada, la hermosura del Carmelo y de Sarón. Ellos verán la gloria de Jehová, la hermosura del Dios nuestro» (Isaías 35:1-2).

«Ciertamente consolará Jehová a Sion; consolará todas sus soledades, y cambiará su desierto en paraíso, y su soledad en huerto de Jehová; se hallará en ella alegría y gozo, alabanza y voces de canto» (Isaías 51:3).

En la actualidad, dicen los científicos que, para que los desiertos produzcan, se necesita siete veces más radiación solar y que llueva constantemente.

La fotosíntesis se ocupa para que haya hierba verde. Los científicos, en especial los agrónomos, dicen que se ocupan dos milagros para que la tierra produzca en todas partes del mundo:

- que el sol tenga la capacidad de iluminar siete veces más y

- que siempre llueva en el desierto.

«Y la luz de la luna será como la luz del sol, y la luz del sol siete veces mayor, como la luz de siete días, el día que vendare Jehová la herida de su pueblo, y curare la llaga que él causó» (Isaías 30:26).

⇒ Todas las naciones tendrán que ir a Israel a celebrar la fiesta de los tabernáculos.

«Y todos los que sobrevivieren de las naciones que vinieron contra Jerusalén, subirán de año en año para adorar al Rey, a Jehová de los ejércitos, y a celebrar la fiesta de los tabernáculos. Y acontecerá que los de las familias de la tierra que no subieren a Jerusalén para adorar al Rey, Jehová de los ejércitos, no vendrá sobre ellos lluvia. Y si la familia de Egipto no subiere y no viniere, sobre ellos no habrá lluvia; vendrá la plaga con que Jehová herirá las naciones que no subieren a celebrar la fiesta de los tabernáculos. Esta será la pena del pecado de Egipto, y del pecado de todas las naciones que no subieren para celebrar la fiesta de los tabernáculos. En aquel día estará grabado sobre las campanillas de los caballos: SANTIDAD A JEHOVÁ; y las ollas de la casa de Jehová serán como los tazones del altar. Y toda olla en Jerusalén y Judá será consagrada a Jehová de los ejércitos; y todos los que sacrificaren vendrán y tomarán de ellas, y cocerán en ellas; y no habrá en aquel día más mercader en la casa de Jehová de los ejércitos» (Zacarías 14:16-21).

⇒ Si alguno peca, tendrá pena de muerte.

«Pídeme, y te daré por herencia las naciones, Y como posesión tuya los confines de la tierra. Los quebrantarás con vara de hierro; Como vasija de alfarero los desmenuzarás» (Salmo 2:8-9).

«No habrá más allí niño que muera de pocos días, ni viejo que sus días no cumpla; porque el niño morirá de cien años, y el pecador de cien años será maldito» (Isaías 65:20).

⇒ Habrá trabajo y prosperidad.

Para las naciones que sobrevivan hasta el milenio, será fácil subsistir. La ventaja es que la tierra producirá más fácil de lo que produce ahora.

«Entonces dará el Señor lluvia a tu sementera, cuando siembres la tierra, y dará pan del fruto de la tierra, y será abundante y pingüe; tus ganados en aquel tiempo serán apacentados en espaciosas dehesas. Tus bueyes y tus asnos que labran la tierra comerán grano limpio, aventado con pala y criba. Y sobre todo monte alto, y sobre todo collado elevado, habrá ríos y corrientes de aguas el día de la gran matanza, cuando caerán las torres. Y la luz de la luna será como la luz del sol, y la luz del sol siete veces mayor, como la luz de siete días, el día que vendare Jehová la herida de su pueblo, y curare la llaga que él causó» (Isaías 30:23-26).

⇒ Después de los mil años, Satanás será suelto por poco tiempo.

«Cuando los mil años se cumplan, Satanás será suelto de su prisión, y saldrá a engañar a las naciones que están en los cuatro ángulos de la tierra, a Gog y a Magog, a fin de reunirlos para la batalla; el número de los cuales es como la arena del mar» (Apocalipsis 20:7-8).

De acuerdo con Apocalipsis 20:1 el diablo será apresado en el abismo, la prisión de los demonios.

El diablo será suelto de su prisión y saldrá una vez más a engañar a las naciones, ya que él es el padre de toda mentira. Esto se dice a las naciones, ¿a cuáles? a las que hayan vivido

en el milenio, y lo más terrible es que muchos de los que hayan nacido en esos mil años serán engañados por Satanás.
Estos que disfrutaron de toda la bendición de Dios, ¡mal
agradecidos! Pues tan pronto sale el diablo de su prisión, logra convencerlos para que guerreen contra Dios y contra Jerusalén. Algo similar a lo que hoy en día sucede, la mayoría
serán condenados y pocos serán los que se salven.

> «Porque estrecha es la puerta, y angosto el camino que lleva
> a la vida, y pocos son los que la hayan» (Mateo 7:14).

> «Y subieron sobre la anchura de la tierra, y rodearon el cam-
> pamento de los santos y la ciudad amada; y de Dios descen-
> dió fuego del cielo, y los consumió» (Apocalipsis 20:9).

Dios mandará fuego del cielo. Así será como terminará la
Cuarta Guerra Mundial.

Y después, ahí sí, Satanás será lanzado al lago de fuego, en
donde quedará encerrado por la eternidad con la bestia y el
falso profeta, quienes ya estaban ahí antes que él.

Cuando el diablo sea lanzado al lago de fuego, en este momento, ocurre el Gran Juicio del Trono Blanco y el fin del
mundo.

CAPÍTULO 11

El juicio del gran trono blanco

Al terminar este tema podrás responder las siguientes preguntas:

⇒ ¿Qué es el juicio final?

⇒ ¿Quiénes irán al juicio?

⇒ ¿Quién será el Juez?

⇒ ¿Dónde será el juicio?

⇒ ¿Qué características tendrá este juicio?

⇒ ¿A qué se refiere la Biblia con «la segunda muerte»?

⇒ El lago de fuego ¿es lo mismo que el infierno?

⇒ ¿Por qué el creyente nace dos veces y muere una vez y el incrédulo nace una vez y muere dos veces?

¿QUÉ ES EL JUICIO FINAL?

Dios llamará a juicio a todos los rebeldes que han existido en la historia.

Dios, al haber pasado por alto los días en que los humanos no se arrepintieron, ha establecido y determinado un día en donde serán juzgados todos los seres humanos que no creyeron a su Palabra cuando estuvieron con vida.

«Pero Dios, habiendo pasado por alto los tiempos de esta ignorancia, ahora manda a todos los hombres en todo lugar, que se arrepientan; por cuanto ha establecido un día en el cual juzgará al mundo con justicia, por aquel varón a quien designó, dando fe a todos con haberle levantado de los muertos» (Hechos 17:30-31).

¿QUIÉNES IRÁN AL JUICIO?

«Y el que no se halló inscrito en el libro de la vida fue lanzado al lago de fuego» (Apocalipsis 20:15).

Todos los rebeldes —desde Adán y Eva hasta la fecha del fin del mundo—, serán lanzados al lago de fuego.

Dios ha establecido un día en el cual juzgará a todos los seres humanos que no se hubieren arrepentido.

«Y de la manera que está establecido para los hombres que mueran una sola vez, y después de esto el juicio» (Hebreos 9:27).

¿QUIÉN SERÁ EL JUEZ?

«Porque el Padre a nadie juzga, sino que todo el juicio dio al Hijo, para que todos honren al Hijo como honran al Padre. El que no honra al Hijo, no honra al Padre que le envió» (Juan 5:22-23).

El juez será Jesucristo mismo, el Hijo de Dios.

¿DÓNDE SERÁ EL JUICIO?

«Y vi un gran trono blanco y al que estaba sentado en él, de delante del cual huyeron la tierra y el cielo, y ningún lugar se encontró para ellos» (Apocalipsis 20:11).

Este juicio no será en la tierra, será en un lugar en el cielo, en el tercer cielo.

¿QUÉ CARACTERÍSTICAS TENDRÁ ESTE JUICIO?

Este juicio será un juicio justo y no habrá manera de corromperlo (como se acostumbra con los juicios de la tierra hechos por los hombres); será tan a detalle que será imposible esconder información, todo saldrá a la luz.

«Mas yo os digo que de toda palabra ociosa que hablen los hombres, de ella darán cuenta en el día del juicio. Porque por tus palabras serás justificado, y por tus palabras serás condenado» (Mateo 12:36-37).

Toda palabra ociosa será juzgada cara a cara con Jesucristo, no habrá dinero para sobornar y no habrá debate. El juicio se determinará y se dictará sentencia de inmediato.

«Y a sus hijos heriré de muerte, y todas las iglesias sabrán que yo soy el que escudriña la mente y el corazón; y os daré a cada uno según vuestras obras» (Apocalipsis 2:23).

«Así que, no los temáis; porque nada hay encubierto, que no haya de ser manifestado; ni oculto, que no haya de saberse. Lo que os digo en tinieblas, decidlo en la luz; y lo que oís al oído, proclamadlo desde las azoteas» (Mateo 10:26-27).

¿QUIÉNES VAN AL LAGO DE FUEGO?

La lista es larga.

«Pero los cobardes e incrédulos, los abominables y homicidas, los fornicarios y hechiceros, los idólatras y todos los mentirosos tendrán su parte en el lago que arde con fuego y azufre, que es la muerte segunda» (Apocalipsis 21:8).

«Más los perros estarán fuera, y los hechiceros, los fornicarios, los homicidas, los idólatras, y todo aquel que ama y hace mentira» (Apocalipsis 22:15).

«Tendrán su parte» significa, que tendrán su herencia en el lago de fuego. Con este versículo tendremos que aclarar dos cosas importantes: primeramente ¿qué es el lago de fuego?, luego, ¿por qué *muerte segunda*? Ya hemos hablado del infierno y comprobamos —a la luz de la Biblia— que el infierno está en el centro de la tierra; entonces, si el sufrimiento es eterno y el mundo tiene un fin, el infierno también será destruido. Por esta razón el juicio final y el fin del mundo son eventos paralelos: cuando sea destruido el infierno, en ese mismo momento hay juicio en el cielo; y el rebelde, al recibir sentencia, será lanzado al lago de fuego.

LAGO DE FUEGO

Hagamos una analogía: en tu casa, cuando haces limpieza, primero tiras la basura en los botes que están dentro de tu casa, pero después esta basura es arrojada al basurero de la ciudad. Lo mismo sucederá con el infierno; todas las almas de los rebeldes van al infierno, pero llegará el fin del mundo y todos ellos —junto con el infierno mismo— serán echados al lago de fuego.

MUERTE SEGUNDA

Para explicar este punto, tomemos de ejemplo una persona que muere sin Cristo, o sea que no tuvo una relación personal con Dios. Una persona a la que le hablaron de Dios, pero no quiso escuchar. Ella muere (primera muerte), después de esto su alma va al infierno, y ahí será atormentada, pero todavía no recibe sentencia; ahí se unirá con todas las personas que desde la creación se rebelaron contra Dios; ahí estará hasta que pase el arrebatamiento, el apocalipsis, el milenio, no menos de mil años. Luego será resucitada para recibir sentencia, y al recibir su sentencia, es lanzada en el lago que arde con fuego y azufre, ésta es la segunda muerte.

«Y la muerte y el Hades fueron lanzados al lago de fuego. Esta es la muerte segunda. Y el que no se halló inscrito en el libro de la vida fue lanzado al lago de fuego» (Apocalipsis 20:14-15).

¿QUIÉNES MÁS VAN AL LAGO DE FUEGO?

«Y manifiestas son las obras de la carne, que son: adulterio, fornicación, inmundicia, lascivia, idolatría, hechicerías, enemistades, pleitos, celos, iras, contiendas, disensiones, herejías, envidias, homicidios, borracheras, orgías, y cosas semejantes a estas; acerca de las cuales os amonesto, como ya os lo he dicho antes, que los que practican tales cosas no heredarán el reino de Dios» (Gálatas 5:19-21).

¿QUÉ SIGNIFICA LA PALABRA LANZAR?

Este verbo en el Apocalipsis se repite muchas veces *lanzado* o *arrojado*.

«Y lo arrojó al abismo, y lo encerró, y puso su sello sobre él, para que no engañase más a las naciones, hasta que fuesen cumplidos mil años; y después de esto debe ser desatado por un poco de tiempo» (Apocalipsis 20:3).

«Y el diablo que los engañaba fue lanzado en el lago de fuego y azufre, donde estaban la bestia y el falso profeta; y serán atormentados día y noche por los siglos de los siglos» (Apocalipsis 20:10).

«Y la bestia fue apresada, y con ella el falso profeta que había hecho delante de ella las señales con las cuales había engañado a los que recibieron la marca de la bestia, y habían adorado su imagen. Estos dos fueron lanzados vivos dentro de un lago de fuego que arde con azufre» (Apocalipsis 19:20).

«Y la muerte y el Hades fueron lanzados al lago de fuego. Esta es la muerte segunda» (Apocalipsis 20:14).

«Y el que no se halló inscrito en el libro de la vida fue lanzado al lago de fuego» (Apocalipsis 20:15).

Definitivamente *lanzado* no es una invitación a ir al infierno, implica una actitud de ira y enojo. Cuando se trata de hacer juicio, Dios no titubea. Así como determinó el juicio con la sociedad pre diluviana, así como determinó juicios contra Sodoma y Gomorra, con esa misma determinación dará la sentencia en el juicio final y lanzará a los desobedientes al lago de fuego.

Ninguna persona que ya está en el infierno o que no aprovechó el regalo de la salvación estando en vida se salvará en este juicio, solamente irán a recibir sentencia.

Los creyentes no serán parte de este juicio.

«Bienaventurado y santo el que tiene parte en la primera resurrección; la segunda muerte no tiene potestad sobre éstos, sino que serán sacerdotes de Dios y de Cristo, y reinarán con él mil años» (Apocalipsis 20:6).

La primera resurrección tiene lugar en el arrebatamiento de la iglesia, nosotros, los que fuimos arrebatados, no seremos parte del juicio final y reinaremos en el milenio con Jesucristo.

TRIBUNAL DE CRISTO

Nosotros los creyentes, los que recibimos a Cristo como nuestro Señor y Salvador, los que logramos tener una relación personal con Dios, iremos a comparecer al tribunal de Cristo después del arrebatamiento. Es ahí donde nuestras obras serán pasadas por fuego y recibiremos coronas, no como los reconocimientos del mundo, si no conforme a los reconocimientos que da Dios en los cielos.

«Pero tú, ¿por qué juzgas a tu hermano? o tú también, ¿por qué menosprecias a tu hermano? Porque todos compareceremos ante el tribunal de Cristo» (Romanos 14:10).

«Porque es necesario que todos nosotros comparezcamos ante el tribunal de Cristo, para que cada uno reciba según lo que haya hecho mientras estaba en el cuerpo, sea bueno o sea malo» (2 Corintios 5:10).

«¿No sabéis que los que corren en el estadio, todos a la verdad corren, pero uno solo se lleva el premio? Corred de tal manera que lo obtengáis. Todo aquel que lucha, de todo se abstiene; ellos, a la verdad, para recibir una corona corruptible, pero nosotros, una incorruptible. Así que, yo de esta manera corro, no como a la ventura; de esta manera peleo, no como quien golpea el aire, sino que golpeo mi cuerpo, y lo pongo en servidumbre, no sea que habiendo sido heraldo para otros, yo mismo venga a ser eliminado» (1 Corintios 9:24-27).

«Bienaventurado el varón que soporta la tentación; porque cuando haya resistido la prueba, recibirá la corona de vida, que Dios ha prometido a los que le aman» (Santiago 1:12).

Las cosas por las que podremos ser juzgados son: qué tan bien obedecimos la Gran Comisión (Mateo 28:18-20), qué tan victoriosos fuimos sobre el pecado (Romanos 6:1-4), qué tanto controlamos nuestra lengua (Santiago 3:1-9), que tanto servimos en la tierra con los dones y talentos que Él nos dio, (1 Corintios 3:13) o cuanto dimos para la obra de Dios (1 Timoteo 4:8; Mateo 6:19). La Biblia habla de creyentes recibiendo coronas por diferentes cosas, basadas en su fidelidad.

EL TRIBUNAL DE CRISTO VERSUS EL JUICIO DEL GRAN TRONO BLANCO

El *tribunal de Cristo* es para los creyentes; Dios será el Juez; no es para condenación; habrá reconocimientos (coronas); y, será después del arrebatamiento. *El juicio del gran trono blanco* es para los no creyentes; Jesucristo será el juez; es para condenación; no habrá reconocimientos; será hasta el fin del mundo.

«Todo árbol que no da buen fruto, es cortado y echado en el fuego» (Mateo 7:19).

¿QUIÉNES LANZARÁN A LAS PERSONAS AL LAGO DE FUEGO?

Este desagradable trabajo lo harán los ángeles, esta es otra de las muchas misiones que los ángeles tienen.

La iglesia no llegará al juicio final. Cuando sea el arrebatamiento, Dios llamará a juicio a cada pastor, a cada creyente, pero este juicio será para recompensar y premiar. Esto se conoce como el tribunal de Cristo, la iglesia va al tribunal de Cristo, luego del arrebatamiento.

CAPÍTULO 12

El fin del mundo

El fin del mundo no es como las películas de Hollywood lo describen; tampoco es cierto que su fecha está cercana, todavía falta el arrebatamiento, la tribulación y el milenio. El mundo no se acabará hasta después del año 3000. El siguiente acontecimiento —el que la iglesia está esperando— es el arrebatamiento. Éste es el evento más importante de la iglesia en el plan de Dios y de Jesucristo. En lugar de preocuparnos por el fin del mundo, debemos preocuparnos por nuestra salvación, que nuestra alma esté eternamente con Dios y no sea condenada al infierno, que estemos listos para reinar juntamente con Jesucristo.

Pero el fin del cielo y de la tierra ocurre al mismo tiempo que el juicio final. El diablo es lanzado al lago de fuego, el juicio del gran trono blanco tiene lugar y el fin del mundo, estos tres eventos son paralelos.

«Y vi un gran trono blanco y al que estaba sentado en él, de delante del cual huyeron la tierra y el cielo, y ningún lugar se encontró para ellos. Y vi a los muertos, grandes y pequeños, de pie ante Dios; y los libros fueron abiertos, y otro libro fue abierto, el cual es el libro de la vida; y fueron juzgados los muertos por las cosas que estaban escritas en los libros, según sus obras. Y el mar entregó los muertos que había en él; y la muerte y el Hades entregaron los muertos que había en ellos; y fueron juzgados cada uno según sus obras» (Apocalip -sis 20:11-13).

«Miré a la tierra, y he aquí que estaba asolada y vacía; y a los cielos, y no había en ellos luz» (Jeremías 4:23).

«Y todo el ejército de los cielos se disolverá, y se enrollarán los cielos como un libro; y caerá todo su ejército, como se cae la hoja de la parra, y como se cae la de la higuera» (Isaías 34:4).

«Enseñándoles que guarden todas las cosas que os he mandado; y he aquí yo estoy con vosotros todos los días, hasta el fin del mundo. Amén» (Mateo 28:20).

¿CÓMO DESAPARECERÁ EL MUNDO?

La tierra es una bomba gigantesca que desaparecerá al explotar. Dentro de la tierra hay fuego.

«Estos ignoran voluntariamente, que en el tiempo antiguo fueron hechos por la palabra de Dios los cielos, y también la tierra, que proviene del agua y por el agua subsiste, por lo cual el mundo de entonces pereció anegado en agua; pero los cielos y la tierra que existen ahora, están reservados por la misma palabra, guardados para el fuego en el día del juicio y de la perdición de los hombres impíos. Mas, oh amados, no ignoréis esto: que para con el Señor un día es como mil años, y mil años como un día. El Señor no retarda su promesa, según algunos la tienen por tardanza, sino que es paciente para con nosotros, no queriendo que ninguno perezca, sino que todos procedan al arrepentimiento. Pero el día del Señor vendrá como ladrón en la noche; en el cual los cielos pasarán con grande estruendo, y los elementos ardiendo serán deshechos, y la tierra y las obras que en ella hay serán quemadas. Puesto que todas estas cosas han de ser deshechas, ¡cómo no debéis vosotros andar en santa y piadosa manera de vivir, esperando y apresurándoos para la venida del día de Dios, en el cual los cielos, encendiéndose, serán deshechos, y los elementos, siendo quemados, se fundirán! Pero nosotros esperamos, según sus promesas, cielos nuevos y tierra nueva, en los cuales mora la justicia. Por lo cual, oh amados, estando en espera de estas cosas, procurad con diligencia ser hallados por él sin mancha e irreprensibles, en paz. Y tened entendido que la paciencia de nuestro Señor es para salvación; como también nuestro amado hermano Pablo, según la sabiduría que le ha sido dada, os ha escrito, casi en todas sus epístolas, hablando en ellas de estas cosas; entre las cuales hay algunas difíciles de entender, las cuales los indoctos e inconstantes tuercen, como también las otras Escrituras, para su propia perdición. Así que vosotros, oh amados, sabiéndolo de antemano, guardaos, no sea que arrastrados por el error de los inicuos, caigáis de vuestra firmeza. Antes bien, creced en la gracia y el conocimiento de nuestro Señor y Salvador Jesucristo. A él sea gloria ahora y hasta el día de la eternidad. Amén» (2 Pedro 3:5-18).

El fin del mundo está profetizado por la Biblia, pero todavía falta mucho tiempo para este acontecimiento. Los cielos pasarán con grande estruendo, esto es, habrá una explosión como nunca la ha habido.

Hermanos, es importante mencionar que muchas personas se preocupan por hacer tesoros en la tierra y ser dueños de muchas propiedades. Este mundo está destinado al fracaso, la verdadera sabiduría es hacer tesoros en el cielo.

En la actualidad el tema del fin del mundo está de moda y las teorías abundan: se habla mucho de que los mayas tienen profecías sobre el tema, también muchas películas hablan sobre el fin del mundo. Tales cosas no son ciertas, las películas y los mayas han tomado fuerza en los últimos años por el desconocimiento de la Palabra de Dios.

Muchos cineastas de Hollywood han acumulado riqueza hablando sobre el tema. Lo cierto es que la Biblia nunca —bajo ninguna perspectiva—, menciona fechas de dichos acontecimientos, sólo Dios sabe los tiempos. La Biblia condena a cualquier falso profeta o persona que se atreva a poner fechas a la finalización de la creación de Dios.

> «El cielo y la tierra pasarán, pero mis palabras no pasarán. Pero del día y la hora nadie sabe, ni aun los ángeles de los cielos, sino sólo mi Padre» (Mateo 24:35-36).

Si en la Biblia, siendo la Palabra de Dios, el mismísimo Mesías no dio fechas sino se limitó a decir: sólo mi Padre [las sabe]. Por tanto, nadie está autorizado para poner fechas a estos acontecimientos.

Fin

COMENTARIOS FINALES

Sin duda, ahora conoces a Dios, ahora sabes que tenemos un Dios de amor pero también de justicia; sabes que su poder no tiene límite y que su gran tesoro son las almas. Tú eres un alma más para Cristo.

El apóstol Pablo en la segunda carta a Timoteo menciona lo siguiente:

«He peleado la buena batalla, he acabado la carrera, he guardado la fe» (2 Timoteo 4:7).

Necesitamos seguir alimentándonos de la Palabra de Dios. La vida con Cristo es una carrera y necesitamos seguir avanzando; toda carrera tiene pruebas, obstáculos, niveles, etc. Así, en la vida cristiana, tenemos una guerra espiritual diaria, por esta razón Pablo nos dice: «he peleado la buena batalla» (la guerra espiritual) «he guardado la fe» (superado pruebas y obstáculos).

Recordemos que Satanás anda como león rugiente buscando a quién devorar, y le enojará que un alma más se salve. Por ello habrá situaciones en tu vida creadas por Satanás para hacerte desistir. Sin embargo, tenemos muchas enseñanzas de Dios en la Biblia que te ayudarán a vencer.

Las porciones de la Biblia que pudiste leer en este libro sólo son una parte; así es que debes conseguir una Biblia, leerla, y dejar que Dios trabaje con tu carácter y seas moldeado conforme a su propósito.

Tenemos tres herramientas de poder que Dios pone a nuestra disposición para nuestra vida con Cristo y éstas ayudan en nuestra carrera cristiana. Estas son: la oración, el ayuno y el alimento de la Palabra de Dios.

LA ORACIÓN:

La oración es el medio de comunicación con nuestro Dios, Él quiere que platiquemos con Él siempre, desde la necesidad más sencilla hasta la necesidad más complicada.

«Por nada estéis afanosos; antes bien, en todo, mediante oración y súplica con acción de gracias, sean dadas a conocer vuestras peticiones delante de Dios» (Filipenses 4:4).

«Estad siempre gozosos. Orad sin cesar. Dad gracias en todo, porque esta es la voluntad de Dios para con vosotros en Cristo Jesús» (1 Tesalonicenses 5:16-18).

EL AYUNO:

El ayuno va ligado a la oración. Podemos creer que el objetivo del ayuno es permanecer un tiempo determinado sin alimento. Sin embargo, el propósito del ayuno es que quites tus ojos de las cosas de este mundo y te concentres en Dios. Aunque en la Escritura casi siempre el ayuno es la abstención de alimentos, existen otras maneras de ayunar. Cualquier cosa que puedas ceder temporalmente con el fin de concentrarte más en Dios podría ser considerado como un ayuno. El ayuno es para ganar una relación más profunda con Dios. Al apartar nuestros ojos de las cosas de este mundo, podremos enfocarnos más en Cristo.

«Cuando ayunéis, no seáis austeros, como los hipócritas; porque ellos demudan sus rostros para mostrar a los hombres que ayunan; de cierto os digo que ya tienen su recompensa. Pero tú, cuando ayunes, unge tu cabeza y lava tu rostro, para no mostrar a los hombres que ayunas, <u>sino a tu Padre que está en secreto; y tu Padre que ve en lo secreto te recompensará en público</u>» (Mateo 6:16-18).

ALIMENTARSE DE LA PALABRA:

Es importante para nuestra vida con Dios escoger una iglesia con sana doctrina; recuerda que hablamos que en la actualidad hay muchos predicadores apóstatas e iglesias que están desenfocadas de la Palabra de Dios.

Al terminar de leer este libro, seguramente tendrás la necesidad de buscar a Dios, busca una iglesia de sana doctrina. Debes estar alimentándote siempre de la Palabra de Dios y ésta se encuentra en las iglesias que predican y practican el evangelio de Jesucristo.

Les recomiendo dos libros que tienen instrucciones precisas para que profundices en la Palabra de Dios, uno se llama *49 secretos de poder para vivir* (Instituto de Principios Básicos para la Vida); y el otro es también un libro que te ayudará a crecer en la doctrina bíblica se llama, *Las 16 doctrinas fundamentales explicadas,* escrito por Eliud A. Montoya.

Tenemos dos situaciones importantes que estorban para avanzar en nuestra carrera cristiana: el pecado y la falta de perdón.

EL PECADO

Pecado significa separación, en este caso separación de Dios. Debemos saber que el pecado nos aleja de Dios. Cuando aceptamos a Cristo pasamos de ser criaturas de Dios a ser hijos de Dios, pero Dios no convive con el pecado, y cuando hay pecado, nuestras oraciones no son agradables a Dios. Por esta razón debemos pedir perdón cada vez que ofendemos a Dios y tratar de no volver a caer en lo mismo, a fin de que nuestra relación con Dios sea efectiva.

> «Si confesamos nuestros pecados, él es fiel y justo para perdonar nuestros pecados, y limpiarnos de toda maldad» (1 Juan 1:9).

EL PERDÓN

El perdón es el medio por el cual nosotros tenemos el canal abierto para ir al cielo. Si Dios no nos hubiera perdonado, todos iríamos al infierno, pero Él mandó a su Hijo a pagar por lo que nosotros teníamos que pagar. Nosotros necesitamos perdonar y pedir perdón a los que nos hayamos ofendido. De otra manera, Dios no nos escuchará ni derramará bendición sobre nosotros (si no perdonamos y pedimos perdón a los que hayamos ofendido). Quizá ahora estés pensando en lo difícil que es. No obstante, haz uso de las armas espirituales del ayuno, la oración y la Palabra, y estas tres armas te ayudarán a resolver toda situación difícil. Confía en Dios y Él lo hará; Él es el camino, la verdad y la vida; así, cuando perdonas y pides perdón ten la seguridad que vas por el camino correcto.

> «Porque si perdonáis a los hombres sus ofensas, os perdonará también a vosotros vuestro Padre celestial; mas si no perdonáis a los hombres sus ofensas, tampoco vuestro Padre os perdonará vuestras ofensas» (Mateo 6:14-15).

«Mas Dios muestra su amor para con nosotros, en que siendo aún pecadores, Cristo murió por nosotros. Pues mucho
más, estando ya justificados en su sangre, por él seremos
salvos de la ira. Porque si siendo enemigos, fuimos reconciliados con Dios por la muerte de su Hijo, mucho más, estando reconciliados, seremos salvos por su vida. Y no sólo esto,
sino que también nos gloriamos en Dios por el Señor nuestro Jesucristo, por quien hemos recibido ahora la reconcilia-
ción» (Romanos 5:8-14).

En la actualidad hay muchos cristianos que no avanzan en
su carrera cristiana por falta de perdón.

JUSTIFICACIÓN VERSUS SANTIDAD

«Para que justificados por su gracia, viniésemos a ser here-
deros conforme a la esperanza de la vida eterna» (Tito 3:7).

Los cristianos confunden la justificación con la santidad.
Dios justifica a todos por igual cuando se arrepienten y acep-
tan al Señor como su Salvador personal, pero todos tenemos
diferentes grados de santidad. Entre mayor nivel de santidad
obtienes, muchos más beneficios tendrás de Dios que viviendo en los grados inferiores.

Y esto es muy explicable: si tú tienes dos hijos y uno te
respeta como padre, te da tu lugar, te honra y el otro es rebelde y no te obedece, ¿a quién le das los mejores beneficios?
¿a quién le das más permisos? No deja de ser tu hijo, ni dejas
de amarlo, pero tiene más privilegios el hijo obediente que el
desobediente. Así es nuestro Padre Dios: a los hijos obedien-
tes les da más, y no me refiero solamente a lo material, si no
a la revelación de la Palabra.

«Así que, amados, puesto que tenemos tales promesas, limpié-
monos de toda contaminación de carne y de espíritu, perfec-
cionando la santidad en el temor de Dios» (2 Corintios 7:1).

TEMOR DE DIOS

«Someteos unos a otros en el temor de Dios» (Efesios 5:21).

«El principio de la sabiduría es el temor de Jehová; Los insensatos desprecian la sabiduría y la enseñanza» (Proverbios 1:7).

«El temor de Jehová es el principio de la sabiduría, Y el conocimiento del Santísimo es la inteligencia» (Proverbios 9:10).

SOMOS MÁS QUE VENCEDORES

«Y sabemos que a los que aman a Dios, todas las cosas les ayudan a bien, esto es, a los que conforme a su propósito son llamados. Porque a los que antes conoció, también los predestinó para que fuesen hechos conformes a la imagen de su Hijo, para que él sea el primogénito entre muchos hermanos. Y a los que predestinó, a éstos también llamó; y a los que llamó, a éstos también justificó; y a los que justificó, a éstos también glorificó. ¿Qué, pues, diremos a esto? Si Dios es por nosotros, ¿quién contra nosotros? El que no escatimó ni a su propio Hijo, sino que lo entregó por todos nosotros, ¿cómo no nos dará también con él todas las cosas? ¿Quién acusará a los escogidos de Dios? Dios es el que justifica. ¿Quién es el que condenará? Cristo es el que murió; más aun, el que también resucitó, el que además está a la diestra de Dios, el que también intercede por nosotros. ¿Quién nos separará del amor de Cristo? ¿Tribulación, o angustia, o persecución, o hambre, o desnudez, o peligro, o espada? Como está escrito: Por causa de ti somos muertos todo el tiempo; Somos contados como ovejas de matadero. Antes, en todas estas cosas somos más que vencedores por medio de aquel que nos amó. Por lo cual estoy seguro de que ni la muerte, ni la vida, ni ángeles, ni principados, ni potestades, ni lo presente, ni lo por venir, ni lo alto, ni lo profundo, ni ninguna otra cosa creada nos podrá separar del amor de Dios, que es en Cristo Jesús Señor nuestro» (Romanos 8:28-39).

«Y la paz de Dios, que sobrepasa todo entendimiento, guardará vuestros corazones y vuestros pensamientos en Cristo Jesús» (Filipenses 4:7).

La editorial Palabra Pura está dedicada a crear materiales de educación cristiana para el estudio personal, la iglesia e institutos bíblicos. Usted puede consultar los recursos que ofrecemos en nuestra página web:

www.Palabra-Pura.com

Confiamos que la lectura de este libro haya sido de gran bendición para su vida. Mucho nos ayudará a seguir adelante si nos otorgara tan sólo unos minutos de su valioso tiempo para escribir un comentario positivo respecto a este libro **en la pagina de Amazon** (no es necesario comprar un libro para escribir su opinión o *review*)

Gracias por ser parte de nuestra comunidad de lectores y darnos el privilegio de servirle.
¡Dios le bendiga!

Printed in the USA
CPSIA information can be obtained
at www.ICGtesting.com
LVHW011416200923
758798LV00007B/185